LA PIQÛRE DU SCORPION
*est le quatre cent quarante-deuxième livre
publié par Les éditions JCL inc.*

D0813032

Catalogage avant publication de Bibliothèque et Archives
nationales du Québec et Bibliothèque et Archives Canada

Lanthier, Marie, 1956-

La piqûre du scorpion

ISBN 978-2-89431-442-5

I. Titre.

PS8623.A57P56 2010   C843'.6   C2010-941075-0
PS9623.A57P56 2010

© Les éditions JCL inc., 2010
Édition originale: août 2010

La Piqûre du Scorpion

Les éditions JCL inc.
930, rue Jacques-Cartier Est, Chicoutimi (Québec) G7H 7K9
Tél. : (418) 696-0536 – Téléc. : (418) 696-3132 – www.jcl.qc.ca
ISBN 978-2-89431-442-5

MARIE LANTHIER

La Piqûre du Scorpion

ROMAN

LES ÉDITIONS JCL

Nous reconnaissons l'aide financière du gouvernement du Canada par l'entremise du Programme d'aide au développement de l'industrie de l'édition (PADIÉ) pour nos activités d'édition. Nous bénéficions également du soutien de la SODEC et, enfin, nous tenons à remercier le Conseil des Arts du Canada pour l'aide accordée à notre programme de publication.

Gouvernement du Québec – Programme de crédit d'impôt pour l'édition de livres – Gestion SODEC

À Léa et Sylvain, mes deux amours.

Il me restait l'oubli
Il me restait l'mépris
Enfin que j'me suis dit
Il me reste la vie

Le Petit Bonheur (Félix Leclerc)

CHAPITRE 1

Je viens de les mettre dehors. La joyeuse bande au complet. Je ne sais pas ce qui m'a pris, mais je dois admettre que je me sens mieux. Moins mal en tout cas. Il y a quand même des limites à supporter le bonheur des autres. À deux heures du matin, une femme victime de *dumping* conjugal a le droit de dormir. Dormir pour oublier durant quelques heures.

Le front appuyé sur la vitre de la porte d'entrée, Maxime regarde partir la bande de jeunes qui descend d'un pas lourd les quelques marches du balcon. Lorsque le bruit des moteurs se fait entendre, elle se tourne un instant vers moi. Elle me lance un regard… assassin? écœuré? découragé? – les trois sans doute – avant de monter s'enfermer dans sa chambre.

Le calme est enfin revenu. Dans la maison s'entend. Rien à voir avec cette espèce de vertige que je sens en moi. Un grand vide qui me donne le tournis. Ça peut aussi ressembler au chaos, j'imagine. Je ne pleure plus, ou presque. Mais mon ventre, lui, n'a pas fini de pleurer. Et je sens cette boule qui voudrait bien sortir et qui se nourrit de mon inquiétude, de cette grande tristesse qui n'en finit pas.

Je voudrais bien avoir les moyens d'aller m'installer trois fois par semaine dans un bureau de psychologue, avec l'espoir immense de voir quelqu'un de compétent mettre de l'ordre dans ce bordel.

La fille que j'ai vue faire irruption dans le salon pour chasser les amis de sa propre fille, ce n'est pas moi. Celle qui tente par tous les moyens possibles de rendre les coups à un jeune loup bien déterminé à vivre, ce n'est pas moi. La *bitch* que j'observe de plus en plus souvent d'un œil incrédule et fataliste, ce n'est pas moi. Mes plantes m'ennuient. Mon chien me fatigue.

On m'a volé ma vie. Le jeune loup a mis les voiles, emportant avec lui les vivres et la trousse de secours. Mon île déserte m'étouffe.

Et Maxime. Maxime qui a perdu d'un coup ses rêves de roman *Harlequin*. Pas qu'elle en ait jamais lu, moi non plus d'ailleurs, mais pas besoin d'en avoir lu pour se les créer. J'en suis la preuve vivante, si peu vivante. D'ailleurs, peut-être que je m'en crée un à l'instant même, m'imaginant une Maxime fragile et blessée, après le départ du premier homme dans sa vie. Elle semble d'ailleurs s'en tirer bien mieux que moi. Elle a encore le goût de s'amuser.

Chaque fois que je le vois ou que je lui parle, je veux ensuite tuer ou mourir. Je suis un caribou en route pour la Caniapiscau. Ou je suis un carcajou. Un carcajou pathétique, qui donne des coups de griffe et de dents pour blesser coûte que coûte le zoologiste qui l'observe derrière les barreaux…, prenant des notes…, intéressé. Je le sais. Je le sais et je n'y peux rien.

On s'imagine qu'une cellule familiale qui éclate éclabousse tout autour d'elle, en n'épargnant personne. Moi, j'en connais au moins un qui semble encore bien au sec. Faut croire que c'est lui qui tenait le boyau. Moi, je devais être devant Maxime parce que j'ai vraiment l'impression d'avoir tout reçu. Comme un vieux chien qu'on vient de lancer à l'eau contre son gré, je me secoue à leurs pieds, histoire de partager le désagrément.

Je fais le tour du salon, à peine émue par les regards au pire haineux, au mieux dédaigneux, que m'ont jetés en partant les amis – les ex-amis? – de ma fille. S'ils connaissaient la petitesse de la bulle dans laquelle je me trouve présentement, nul doute qu'ils ne se donneraient pas cette peine. Ils n'ont aucune importance.

Les bouteilles, le sac de croustilles éventré, le joint dans le cendrier, les boîtiers de CD affalés, impudiques. Je ramasse tout sans rien voir. Je fais ces gestes si souvent répétés qu'ils n'ont besoin ni de volonté ni d'intention pour s'accomplir. Je change le bleu de la télé pour un poste Galaxie. Le petit blues jazzé m'inspire un moment zen, et je ramasse le moignon de joint dans le cendrier et le briquet déposé à côté, oublié.

Je sens la profonde révélation de toutes choses m'imprégner peu à peu et je sais que dans quelques heures, voire quelques instants, je ne pourrai reconstituer l'étrange écheveau de cette sagesse universelle. Je laisse échapper un rire étouffé. Je me surprends moi-même. Rien n'est perdu si je peux encore rire de moi-même de temps en temps. Du tas de fumier, oui, je sais…, les jolies fleurs. Petit moment fugace d'espoir. L'instinct de survie.

Je monte à l'étage et je rejoins Maxime dans sa

chambre. Elle a dû pleurer beaucoup. Quelle perspicacité – j'enligne la tonne de kleenex à côté du lit. Elle se tourne vers moi lorsque j'entre dans sa chambre.

— Max, j'aimerais ça te parler.

Je m'assois près d'elle.

— S'il te plaît.

Je sens en elle une immense fatigue. Je passe ma main dans ses cheveux.

— Maxime…, j'en arrache. J'essaie de rester cool, de rester fine. J'pas capable, bâtard!

En deux secondes, je ne sais pas comment, c'est reparti. Je pleure. De gros sanglots qui partent de si loin qu'on ne peut pas l'imaginer. Une peine grosse comme celle-là, je n'aurais jamais pu la garder bien longtemps. Je pensais qu'une peine d'amour, c'était parfaitement cloisonné. Le choc, le déni, la colère, la peine. Pas pantoute. C'est tout mêlé. Ce n'est pas un party de l'élite, c'est un *open house* très populaire. J'imagine le ménage après.

Maxime aussi pleure maintenant. Elle aussi, elle a pas mal de monde. Ça a même déjà été comme un soulagement pour elle. Mes parents si parfaits, si crissement parfaits, si amoureusement parfaits. Je m'emporte. On respire par le nez. Bref. Quelque chose comme : des parents comme tous les parents rêvent d'être. Oui, c'est exprès : le rêve des parents, pas celui des enfants.

Je l'aime tellement. Je voudrais rapidement retomber sur mes pattes pour elle. Bambie en arrache.

— J'ai besoin d'un Pan-pan…

J'ai dit cette phrase tout haut. Maxime me regarde, cherchant à comprendre.

— J'aimerais tellement ça retomber sur mes pattes, vite et bien. Que ça arrête de m'arracher le cœur quand je lui parle, quand je le vois. Que j'arrête d'avoir mal au cœur la plupart du temps. J'ai besoin d'aide, je pense. Pis j'ai pas quatre-vingts piastres par séance à payer. Max, sois patiente, ça va revenir dans ma tête. Demain, je vais m'excuser auprès de tes amis…

— Pas besoin, m'man. Ils savent ce qui se passe. Pis ceux qui comprennent pas, j'm'en sacre. C'est moi qui suis écœurée, m'man. C'est moi qui suis pus capable. J'pus capable de me sentir coupable chaque fois que j'ai du fun… J'fais des efforts. J'essaie de ne pas parler à papa au téléphone devant toi. Penses-tu que je ne le sais pas, ce que ça te fait? Ou bien tu deviens zombie ou bien t'es pus parlable! C'est pas d'avoir perdu mon père qui me magane le plus, c'est d'avoir perdu ma mère! Papa aussi, des fois, il est triste…

Mon cœur bondit. Maudite faim si immense. Je saute sur les moindres miettes, et quand ce moment de faiblesse sera passé, je serai impitoyable envers moi-même, c'est promis. Mais pour l'heure :

— Comment ça? Il te l'a dit?

J'espère avoir l'air détaché. Je replace ses couvertures qu'elle repousse d'un geste. Il y a bien quatre heures que le soleil s'est couché et il fait encore au moins trente-deux degrés Celsius.

— Il n'a pas besoin de me le dire. Je le sais. Vous êtes drôles, vous autres. Vous pensez tout savoir de nous, « les jeunes », comme si on était tous pareils. Pis vous pensez qu'on sait rien, qu'on comprend rien. J'ai pas besoin que tu me parles pour comprendre bien des affaires. Lui non plus.

Une grande lassitude. Je me penche pour l'embrasser et je reste collée là. Je m'étends à côté d'elle et la prends « en cuillère ». Ah non! Maudites habitudes! Toutes les fois où j'avais du mal à dormir, Laurent me demandait: « Veux-tu que je te prenne en cuillère? » Il joignait le geste à la parole et se tournait vers moi, son bras m'enserrant dans cette étreinte rassurante.

Je cherche dans l'odeur de Maxime le parfum de l'oubli. Celui sur lequel je surfe parfois. C'est mon tapis magique. *Magic Carpet Ride...* Le plus dur, c'est d'apprendre à atterrir.

CHAPITRE 2

Y a-t-il quelque chose de pire au monde qu'un ex qui vous veut du bien. L'absence de point d'interrogation n'est pas une coquille. *Barnac.* Comment suis-je supposée « évacuer », comme me dit ma chum Dominique, quand le seul maudit grief qui risque de tomber dans une oreille, sinon sympathique du moins empathique, ne peut en être un?

Il a arrêté de m'aimer.

Pire. Il m'aime encore un peu. Mais je ne suis plus le seul objet de son amour. En fait, oui, peut-être le seul objet parce que l'autre me paraît pas mal plus animée. Et je me sens... même pas une vieille pantoufle. Celles-là, on a encore le goût de les mettre après le travail. Et je n'ai jamais voulu être vulgaire. C'est pure coïncidence.

Et il est gentil. Gentil et compatissant. Compatissant et compréhensif. Tellement compréhensif, je ne suis plus capable. Il me veut du bien. Le con.

Comment est-ce que je suis censée arrêter d'aimer un gars de même? Avouez avec moi que c'est pas mal plus facile de se remettre du départ du trou du cul qui

15

laisse sa blonde après l'avoir trompée pendant deux ans. Je l'imagine, le trou du cul. Chaque fois qu'il le peut, il se présente avec sa pétasse. Ou pire. Après s'être lamenté de l'état des finances du ménage durant toutes ces années, il part avec ladite pétasse trois semaines à la Barbade.

La Barbade ne m'est pas venue par hasard. Paris, Londres ou Barcelone, ça implique nécessairement un minimum de visites touristiques. Le trou du cul et sa pétasse n'ont besoin que d'une plage pour bronzer leurs lascives carcasses et d'une chambre avec vue sur la mer pour rassasier leur appétit gourmand. Et puis c'est loin et c'est cher.

Il arrive toujours en retard, souriant mais pressé, avec elle qui attend dans l'auto, pieds nus – bronzés, ils reviennent de la Barbade, *remember*? – sur le tableau de bord. C'est d'ailleurs tout ce que je verrai : les jeans roulés à mi-mollet, la patte de biche sans l'ombre d'un duvet qui se balance nonchalamment au rythme d'une chanson qui passe à la radio :

... *This life has taken its toll on me*... (*Ya, right*)

Le trou du cul ajoutera avant de partir : « As-tu changé tes lunettes? Non? Ah... t'as peut-être juste l'air fatigué... »

Avouez qu'on peut « évacuer » pas mal plus efficacement et obtenir autre chose qu'un regard compatissant de ses amis. On obtient une solidarité qui, si elle peut se révéler parfois légèrement fissurée au contact du sujet de la dépréciation collective, n'en est pas moins sentie. La solidarité..., je me suis toujours méfiée d'elle. Surtout lorsqu'elle est affublée d'un genre.

16

Mais voilà. Laurent ne fait pas partie de cette caté-gorie d'ex qui provoque l'unanimité dans le mépris. Il a été un chum et un père remarquables. Il s'est muté en ex d'exception. C'est dur.

Chaque fois qu'il passe chercher ou reconduire Maxime, il vient aux nouvelles. Est-ce que ça va? Est-ce que j'ai le goût d'en parler? Il n'aurait jamais voulu me faire une peine pareille. Est-ce qu'il y a quelque chose qu'il peut faire pour m'aider?

Heu… Laisse-moi réfléchir… Je peux penser à une ou deux petites choses: m'aimer, bâtard! Moi! Juste moi! Pis lâcher l'autre conasse.

Je suis d'une mauvaise foi impardonnable. Je sais. La conasse en question n'a rien d'une épaisse, rien d'une briseuse de ménages, rien d'une allumeuse. Elle n'est même pas jeune, bâtard! Elle est plus vieille que moi! Bon, de six mois à peu près, mais quand même. Laurent a quarante-deux ans. Sept ans de moins que moi. Que nous. Pour écarter toutes mes craintes de *dumping* pour cause de vétusté, je me suis toujours dit que la menace pourrait très bien venir d'une femme *aussi vieille* que moi. Je l'ai toujours dit. Jamais pensé.

Madeleine aura cinquante ans en octobre. Une Scorpion. «De vraies salopes au lit, il paraît.» Le com-mentaire ne vient évidemment pas de Laurent, qui ne commettrait jamais une telle indiscrétion. C'est du cru de mon plus jeune frère. Il voulait sans doute là déprécier un peu à mes yeux. Visa le noir, tua le blanc. Je me liquéfie chaque fois que j'y repense.

J'ai toujours cru que je verrais venir un peu. Que,

pour tomber en amour avec quelqu'un d'autre, il fallait nécessairement que le ménage – le ménage!… Qui a un jour affublé le couple avec enfants d'un tel nom? Un visionnaire, sans doute! – que le couple, disais-je, batte de l'aile. Quand Madeleine est entrée dans notre vie, il volait très bien, notre ménage. J'ai toujours pensé que tout notre entourage tomberait des nues si Laurent et moi on se laissait. Faut croire que c'était moi la bécasse et que j'avais, sans le savoir, du plomb dans l'aile.

CHAPITRE 3

Sainte Madeleine : « Patronne des parfumeurs et des cardiers. Elle était au pied de la croix, et fut la première à voir le Christ ressuscité... » (*Dictionnaire des saints patrons et des bienheureux*). Elle était à la bonne place au bon moment.

La première fois que nous l'avons vue, c'était à la première réunion du comité pour la création d'une piste cyclable qui relierait tous les petits villages de la région maskoutaine. Nous étions une trentaine de personnes, venues à la suite d'un envoi postal d'un représentant de la MRC en quête de soutien bénévole. Il y a trois ans de ça. Elle était assise à côté de moi, à la grande table, et j'avais été surprise d'apprendre qu'elle était de notre village. Elle venait d'emménager. Elle avait élevé seule Thomas, son fils, maintenant âgé de vingt-cinq ans. Ils habitaient le Vieux-Longueuil. Après avoir travaillé durant vingt ans au Service de la publicité à Radio-Canada, elle avait quitté la maison avec en poche un forfait de retraite anticipée et quelques promesses de contrats à la pige. Elle acheta à Saint-Eugène pour moins que rien une fermette située à l'entrée du village ; c'était avant le boom immobilier que l'on a connu ces dernières années. Elle n'avait pas voulu vendre la maison de Longueuil où son fils avait grandi et qu'il habitait toujours.

La vie est belle. Madeleine aussi. L'ai-je dit? C'est une grande femme – ça commence mal – aux cheveux blonds naturels parsemés de mèches blanches qui lui tombent au milieu du dos. Elle a cet air sensuel des femmes mûres, parfaitement bien dans leur peau. Elle porte avec charme et fierté des seins lourds et un ventre arrondi qui ne connaîtront jamais la chirurgie esthétique. Elle dit vivre seule comme on dit être poète. Un don reçu. Elle a de l'assurance, aucune arrogance. Madeleine respire l'intelligence et l'amour des petits plaisirs de la vie. C'est une femme simple qui peut créer une certaine dépendance. Surtout chez le jeune mâle de quarante-deux ans dont le démon de midi n'a que faire des jeunes poulettes dont la perfection du corps n'a d'égal que leur insignifiance. Pour m'éviter de vaines pensées jalouses, combien de fois n'ai-je entendu Laurent dire des femmes plus jeunes qu'elles étaient comme la vodka: «sans goût, sans couleur, sans odeur». J'aurais dû me méfier. Madeleine, c'est un *single malt* de vingt ans élevé en fût de chêne.

Toutes les subtilités de la logistique entourant la création d'une piste cyclable intermunicipale ayant requis des heures et des heures de travaux concertés, nous avons créé des liens. Je reconnaissais en cette femme une âme sœur. Je lui ai fait fumer son premier joint à vie, elle m'a initiée à la poire Williams.

— Tu ne bois pas, Jeanne. Tu goûtes. Tu laisses le liquide mouiller tes lèvres. Tu sens et tu ressens.

J'aurais dû savoir dret là que, sous aucun prétexte,

on ouvre sa porte à un torrent de sensualité comme ça. Je suis moi-même tombée sous le charme. Laurent, qui est un couche-tôt, nous a souvent laissées toutes les deux, affalées sur les sofas du salon à écouter The Doors, Dead Can Dance ou *The Tango Lesson*. J'ai partagé avec elle mes palpitations lorsque Daniel Day-Lewis prend la belle Madeleine Stowe pour une étreinte torride au beau milieu d'un fort par ailleurs plutôt morose, compte tenu de l'imminence de l'attaque des Français. *Le Dernier des Mohicans* – pas la dernière des Madeleine, malheureusement. Son film préféré, que j'ai toujours adoré aussi : *The Bridges of Madison County*. « *And I went back to my life of details...* » Comment Meryl Streep pouvait revenir à une telle vie, je ne l'ai jamais compris. Même si je ferais maintenant tous les lavages de bas qu'il faut pour retrouver ma vie d'avant.

Ce qui cloche dans toute cette histoire, c'est que Laurent et moi on s'aimait passionnément. On aimait être ensemble, faire des choses ensemble. Écouter de la musique, aller se promener, voyager, fumer, triper, sortir, rire et baiser. J'ai longtemps pensé que seul un accident pourrait nous séparer. Du genre de celui où la fille se réveille après un long coma et elle ne reconnaît plus son chum. C'est un peu ça finalement, à bien y penser. Certains frappent un mur, on a frappé une Madeleine.

En août 2003, Laurent a changé de boulot. Il s'est mis à vendre des produits et services dans le domaine de l'industrie lourde – les mines, les usines de pâtes et papiers. Et comme il n'y en a pas beaucoup de ceux-là à Saint-Hyacinthe ou à Drummondville, il s'est mis à voyager. Trois jours à Sept-Îles, quatre jours en Abitibi, une semaine au Saguenay–Lac-Saint-Jean. Durant de longs mois, Maxime et moi avons apprécié ces intermèdes dans la vie familiale qui chamboulent un peu les habitudes – mot qui nous faisait toutes deux un peu horreur. On dormait ensemble quand il était parti et on l'accueillait comme un Ulysse à chacun de ses retours. Il m'appelait tous les soirs.

— Je suis rendue à Fermont, là. Ostie que c'est laid. Mais les gars sont super fins. Ils prennent le temps de jaser. Va falloir que je revienne pour la chasse ou la pêche. C'est capotant, les lacs qu'il y a ici. Beaucoup d'orignaux, il paraît.

Et je l'écoutais, souriant, imaginant mon Daniel Boone avec du gel dans les cheveux. Temps béni.

Madeleine est née au Lac-Saint-Jean. Comme je le disais, elle vient de commencer ce qu'on appelle maintenant une semi-retraite. Celle qui possédait déjà l'art du moment présent vient de s'enrichir d'encore plus de temps pour en profiter.

Dans le deuxième rang, tout près de chez nous, il y a une espèce de vieux garçon célibataire, toujours seul sur sa ferme porcine et qu'on a toujours cru profondément misanthrope. Quasiment genre *hillbillies*. Je l'ai souvent croisé conduisant sa vieille Ford Galaxie 500 1965. Pas que ce soit le type à acheter des antiquités hors de prix. Pas vraiment, non. Un jour, à la mort de son père, il y a quinze ou vingt ans de ça, il en a hérité. Il l'a gardée. Durant toutes ces années où il a été mon voisin, il ne m'a jamais adressé la parole. Un vague salut de la tête lorsqu'il était vraiment trop près de moi pour éviter tout contact. Et je ne l'ai jamais pris « personnel » parce que Maurice, c'est Maurice. Un animal qui doit bien, approvisionnement oblige, sortir parfois de sa tanière.

Le point de rupture dans la vie de Maurice s'est produit en juin 2006. Après le souper, alors que Laurent et Maxime étaient allés manger une crème molle à Sainte-Rosalie, Madeleine et moi sommes allées faire une promenade sur le chemin Dubreuil. L'air sentait bon, la soirée était particulièrement douce. Nous revenions, en placotant. En passant devant chez lui, on aperçoit Maurice qui sort du coffre de sa Ford une brochette de poissons tout frais pêchés de la Yamaska. Madeleine, avant que j'aie pu la prévenir des antécédents peu accorts de mon voisin, s'exclamait devant la taille des dorés et questionnait un Maurice manifestement pris au dépourvu. La petite abeille enthousiaste, je le craignais, devait importuner l'ours mal léché. Interdite, j'étais restée en terrain neutre, au bord de la route: j'assistais aux premiers pas de Maurice vers le gouffre qui devait l'avaler tout rond, sans un soupir. Il sortait son équipement de pêche sous l'œil exercé de Madeleine qui l'évaluait et le commentait. Maurice allait à la pêche tous les mercredis et tous les vendredis, semble-t-il. Eh oui, on peut manger le doré de la Yamaska, autant qu'on en veut en mai et une fois la semaine en juin. Pour moi qui n'ai jamais mangé d'autres poissons que ceux pêchés par mon chum dans les eaux limpides du Baskatong, de la région de Saint-Raymond-de-Portneuf ou ceux de la poissonnerie ou du *Métro* – qui viennent d'où, d'ailleurs? –, l'idée de manger d'un poisson une seule fois par semaine parce que sa teneur en ci pis en ça est limite…, ça me coupe l'appétit.

Mais la pêche, à ce qu'il paraît, c'est bien plus qu'une perspective de filet dans l'assiette. Les passionnés vous le diront. Laurent, Madeleine et Maurice vous le diront. Maintenant qu'on sait que Maurice parle. Il a dû être le premier étonné lorsqu'il s'est rendu compte, nous regardant nous éloigner sur la route, qu'il venait d'inviter Madeleine à la pêche, le vendredi suivant. Le soleil se couchait derrière la grange lorsqu'on est arrivées à la maison. Madeleine s'est arrêtée, ravie, pour l'admirer un peu. Madeleine s'arrête comme ça, pour un instant qui le mérite: un soleil qui flamboie, un Maurice qui rentre de la pêche. Bienheureux le soleil qui peut ensuite aller se coucher sans en être affecté.

CHAPITRE 4

Fin de semaine morne. Maxime est partie avec son père passer le long week-end de la fête du Travail à Sainte-Adèle, chez son oncle, le frère de Laurent. Il a une maison dans un endroit magnifique où nous passions souvent des week-ends fort agréables, en famille. Je me rappelle la petite rivière où nous allions nous baigner. Après une longue promenade en montagne, c'est un pur plaisir que de se plonger les fesses entre deux roches, dans le petit creux où le torrent déferle en trombes. Ces dernières années, Maxime restait souvent au chalet, se moquant de nos trips de *has been hippies*. Nous n'insistions pas. Cette nouvelle indépendance de Maxime nous assurait souvent de délicieux moments.

Notre dernière trempette date d'à peine un an. Pas à peine. Un an. C'était le week-end de la fête du Travail de l'an dernier. Il faisait un temps magnifique. Nous sommes restés longtemps, au retour, debout sur le petit pont qui enjambe la rivière. Le soleil réchauffe le visage. À un endroit très précis, l'odeur de conifère est sans pitié. Nous fermons les yeux de ravissement. Les eaux troubles qui rugissent à quelques pas de nous n'ont pas encore brassé mon petit univers. Moments sereins d'une autre vie.

Je déteste me rappeler. La mémoire est sans pitié, elle ne fait pas de quartier. Vivement demain matin que le travail reprenne. Que je puisse arrêter de mijoter dans ce bouillon amer. La tête et le cœur sont des éponges. Tout est là, intact. Les sons, le parfum... Bang! Un tsunami de sentiments. J'ai lu samedi une petite annonce dans le journal: un week-end de méditation dans un temple bouddhiste près de Québec. Avant de connaître Madeleine, je méditais. Rien de très sérieux. Deux ou trois fois par semaine, tout au plus. Madeleine, qui semblait vivre en état permanent d'illumination, se moquait gentiment de moi. Madeleine n'a que faire de ces modes spirituelles sur lesquels surfent de plus en plus d'adeptes. Elle appelle ça le «tourisme spirituel». Le Club Med des aspirants lamas. Je ne médite plus. Ça fait partie du changement qui s'est effectué, poil par poil, au cours des dernières années.

Je le regrette. C'est maintenant que j'aurais besoin de contrôler le mental. Sortir de ma tête, une heure, un jour, un mois si possible. De tout mon corps aussi, tant qu'à y être. Ne plus penser: ni à elle ni à lui, surtout pas à «eux». Ne plus être. Juste quelque temps. Je sais exactement ce que j'aurais fait, il y a quinze ans et des poussières: j'aurais câlissé mon camp. Je me serais sauvée loin, loin, loin. Pour me sauver. Dans tous les sens du mot. J'ai toujours eu beaucoup de talent dans la fuite, et elle m'a bien servie, je dois l'admettre. À l'époque où j'étais libre. Vraiment libre.

Avant de connaître Laurent, je me méfiais de la maternité. Je savais très bien que pour elle je devais renoncer à la liberté. La vraie. Celle qui, tout à la fois, englobe le cœur, la tête et les tripes. Les Anglais ont une expression bien imagée: *no strings attached.* C'est exactement ça. Si ça fait pas, adieu au monde. Tu prends le premier avion pour Guayaquil, un petit bateau qui pue la merde, un vieil autobus qui grimpe de peine et de misère une partie de la cordillère des Andes, dodo à Missahuali, trois jours de pirogue sur le Rio Napo: terminus, tout le monde descend. Après six heures de marche dans la forêt, tout est possible. Un autre monde. Une autre vie. C'est le Klondike des rêveurs peu portés sur la chose matérielle. On peut devenir travailleur social, aide-infirmière ou, avec un minimum de talent, touriste qui ne décolle plus. L'emploi n'est pas vénal, mais il guérit de tout.

À vingt ans, j'avais cette certitude au fond du cœur que j'aurais toujours une porte de sortie. Je pourrais toujours, si les choses tournaient mal, retourner là-bas, dans ce petit paradis dépouillé perdu en Équateur. Quitte à vendre mon corps – que j'avais plutôt joli – pour me payer un aller simple. Ça peut paraître excessif, mais je voyais ça comme l'*ultime* porte de sortie. Une sorte d'alternative au suicide, si les choses tournaient *vraiment* mal.

J'ai longtemps dit que je n'aurais pas d'enfant parce que je voulais rester libre. Quand on dit ça, les gens pensent libre de faire ce qu'on veut, de sortir tous les soirs, de baiser à droite et à gauche – en avant, en arrière, saluez votre partenaire. On associe cette aspiration à un désir de vie de plaisirs. Ce n'est pas ça. Déjà vers l'âge de dix ou onze ans, alors que la plupart de mes amies bavaient d'extase devant un poupon, j'avais mes réserves. D'une part, je croyais qu'il fallait une bonne dose de satisfaction personnelle pour avoir envie de se reproduire et, d'autre part, je pressentais déjà qu'au plaisir de vieillir bien entouré s'attachait un

Madeleine revient vers moi.

— Il faut que tu essayes ça un jour, Jeanne. C'est tellement agréable. Toi qui cherches toujours un moyen de te connecter aux forces de l'univers.

Elle rit et me pousse d'un coup de hanche.

— C'est un exercice très zen. Tu devrais aimer ça.

Un exercice zen, bien sûr… Pas certaine que le ver de terre soit tout à fait d'accord. Maurice non plus. Le regard brûlant que mon voisin pose sur Madeleine trahit le nouveau trouble qui l'habite. On repassera pour l'exercice zen.

CHAPITRE 6

Laurent s'amuse beaucoup dans ses nouvelles fonctions de voyageur de commerce. Je l'ai bien taquiné avec ça. Lui s'appelle un représentant. Voyageur de commerce, ça fait pas mal mon'oncle *peddler*, ça vend du *stock cheap*, pis ça trompe sa femme.

J'avais eu une récolte magnifique de mon jardin cette année-là. J'aimais penser que mes talents de jardinière s'affinaient avec le temps, mais je savais bien que l'engrais qu'on avait mis l'automne précédent pour la première fois en huit ans y était pour quelque chose.

Durant les dernières semaines du congé d'été de Maxime, alors que Laurent allait et venait de l'Outaouais à la Côte-Nord, nous avons fait de la bouffe pour nous en écœurer. Des tomates et des carottes en conserve, des piments blanchis congelés, du *catchup* maison, des petits cornichons marinés sucrés, des *dill pickels* pas casher, mais pas loin – Mrs. White peut aller se rhabiller. Il a fait un temps magnifique. On faisait bouillir tout ce qu'il fallait à l'intérieur, puis on s'installait dehors, sur la table de pique-nique, savourant un soleil encore assez vigoureux. Les pots stérilisés, les couteaux, les planches à découper, l'acide des tomates qui picotent sur les doigts : tous ces petits accessoires qui m'ont tant donné l'impression d'être utile, presque indispensable.

Pour couper la journée en deux, Maxime et moi partions faire un tour en vélo sur le chemin Dubreuil. Loulou nous suivait de peine et de misère, la langue rallongée de deux pouces, passant du galop au trot, au galop, au trot, au rythme de nos encouragements et de ses élans du cœur. J'appréciais ces intermèdes au grand air, dans un décor magnifique avec deux de mes trois amours.

Parfois, généralement quelques jours avant mes règles, il me venait tout à coup un doute : ma petite job que j'aime bien mais mal payée d'un côté, ma vie de famille de l'autre avec mon chum, ma fille, mon chien, mes poissons et tout ce que ça implique de menus détails qui peuvent si aisément combler le vide. Ne nage-t-on pas dans un bonheur bien fragile ? Ne me suis-je pas installée, brebis confiante, dans l'étable du marchand de gigot ? Et certains mois où mes règles s'annonçaient particulièrement costaudes, je plongeais davantage : maudite niaiseuse, une job à temps partiel qui paye des *peanuts*... Tu passes ton temps à torcher pis à faire de la bouffe – exactement comme ta mère dont tu jurais ne jamais suivre les traces – pendant que ton chum fait le *peddler* à travers la province, mangeant au resto, ses cinq paires de bas et de bobettes sentant le *Downy* bien pliées dans sa valise avec ses chemises de rechange que *tu* lui as repassées avant de partir. Tu fais quoi, là, la tarte ? Pas mariée, pas protégée... Le flot de ces pensées convergeait inévitablement vers le canal de mes préoccupations financières, où heureusement il finissait par s'étrangler de lui-même.

Lorsqu'un goût amer persistait, j'appelais en renfort la pensée positive ou ce que Madeleine qualifiait de «stéroïdes spirituels des apôtres de notre époque». J'essayais de me justifier à ses yeux moqueurs en précisant que pour moi, ça réussissait, alors...

— Bien sûr que ça réussit, Jeanne, c'est le principe de l'effet placebo. Pas besoin d'acheter des livres pour ça.

J'ai rarement eu le dernier mot avec Madeleine. Pas tellement parce qu'elle y tenait. Tout simplement parce que la maudite avait souvent raison. Elle arrivait à l'improviste, elle s'installait dans le hamac tout près de nous. Elle nous entretenait d'un texte qu'elle était en train de traduire pour Radio-Canada au sujet des prisons en Inde et en Turquie, et des déboires de ressortissants canadiens – vision de *Midnight Express* et d'une troublante masturbation. Sa longue jambe bronzée tombait négligemment, et son pied nu frappait doucement le sol, en cadence, imprimant au hamac un bercement langoureux. Je l'écoutais. J'imaginais aisément les tribunaux embourbés et sans décorum, les policiers véreux et la misère. Je respirais à fond le parfum des asters que j'avais plantés au printemps, et l'extrême bonheur qui m'assaillait soudain me faisait chavirer. L'arrivée de Madeleine sonnait souvent le glas de notre industrie domestique. Elle choisissait un CD au gré de son humeur, et je débouchais une bouteille de vin: on allait préparer le souper quand même! Sans vin, on grille le saumon et on brasse la salade. Avec un verre, on le braise et on la touille.

Une des dernières journées du mois d'août, cet été-là, Madeleine n'est pas venue; elle m'appelle.

— Jeanne, peux-tu venir tout de suite?

Madeleine n'appelle jamais. Elle vient ou elle ne vient pas. Ça devait être important. Elle appelait, j'irais.

Blanche, sa sœur aînée, a téléphoné. Elle demeure dans la maison familiale de Roberval avec sa mère qui est entrée la veille à l'hôpital de Chicoutimi. Chute de pression, perte de conscience, soins intensifs. Madeleine doit absolument s'y rendre si elle veut parler à autre chose qu'à un cercueil. La sœur de Madeleine est un exemple de tact et de délicatesse. Pierre-Paul, leur jeune frère, installé lui aussi dans la région de Montréal, la prendra en passant demain matin. Il y a de la place pour coucher à la maison. Tout est prévu.

Quand je suis arrivée chez Madeleine, elle était assise à la table de la cuisine, l'air complètement démontée. Je ne savais même pas qu'une pareille Madeleine existait. J'en suis restée un moment interdite.

Elle se lève brusquement.

— De toute façon, je n'aurais pas pu conduire. J'ai mal au cœur depuis que je l'ai appris. Ça me fait chier, Jeanne, tu ne peux pas savoir.
— Écoute, Madeleine, tant qu'il y a de la vie il y a de l'espoir – youcaïdi youcaïda… J'ai perdu mes deux parents, je peux comprendre – on s'en sacre-tu? Ta mère a quand même quatre-vingt-huit ans, elle a eu une super belle vie, en forme… – trois mots : ferme ta *yeule*!

Madeleine m'interrompt. Heureusement.

— C'est pas ça, Jeanne. C'est Blanche, ma sœur,

la seule des enfants qui est restée dans le coin. Ça devait faire trois ans que je ne lui avais pas parlé. Elle s'occupe de ma mère et d'un groupe de l'âge d'or de son coin. Chaque fois que je suis montée à Roberval au cours des dernières années, c'était pour remplacer Blanche auprès de ma mère pendant qu'elle était partie en voyage organisé avec son groupe. C'était l'excuse officielle, principalement pour les besoins de ma mère qui n'a jamais admis la chicane. C'était pareil quand on était enfants. Ma mère ne voulait rien savoir de nos crêpages de chignons. On finissait par ravaler notre rancœur, le temps aidant. On finissait par se réconcilier. Le plus intelligent des deux cède, disait ma mère. Ma grande sœur excelle dans l'art de la bouderie. Elle pourrait gagner des concours, j'en suis convaincue. Moi, le supplice du silence, je n'ai jamais même fait les finales.

Elle me raconta la fin de l'été de ses treize ans. Blanche l'avait tenue comme ça, feignant de ne jamais la voir, durant tout un été. Tout un été à ne pas exister. Tout un été, à treize ans, c'est long. Et puis un jour où un orage soudain venait d'éclater, Blacky, leur vieille labrador de douze ans, sourde comme un pot, traverse le chemin pour chercher refuge sous la galerie de la maison, totalement inconsciente du camion dix roues qui la chopera sans même lui faire mal. C'est grâce à Blacky, finalement. Ce qu'il en restait sur l'asphalte mouillé de cette journée de fin d'été particulièrement chaude n'étant pas à proprement parler propice aux épanchements et aux dernières caresses, Blanche s'est tournée vers Madeleine en hurlant. Et Madeleine, trop heureuse de voir poindre la lumière au bout de leur querelle, la serra dans ses bras miséricordieux. L'automne serait beau. Un peu perdue dans ses restes en macédoine, la vieille chienne qui avait eu une belle vie devait sourire. Elle n'était pas morte en vain.

Je me levai de la table pour prendre la cafetière dans laquelle il y avait toujours du café frais. Madeleine me le confirma d'un signe de tête. Je versais le café dans les tasses, espérant durant ce court instant d'occupation trouver les mots qui soulagent.

— Là, vous vous êtes chicanées pour quoi la dernière fois?

— Peu importe l'histoire, c'est toujours pour la même raison. La jalousie. Blanche m'a toujours enviée. Elle se trouve moins belle, moins chanceuse, moins gâtée par la vie. Le seul temps où j'ai vu ma sœur adulte se montrer généreuse à mon endroit, c'est quand Jacques et moi on s'est laissés, il y a plus de vingt ans maintenant. Thomas était bébé, et Jacques supportait difficilement l'intimité que je partageais – de manière un peu démesurée sans doute – avec mon fils, l'amour de ma vie. Nous n'avions plus de vie de couple, plus d'intérêts communs. Il s'est mis à sortir de plus en plus souvent, et je le voyais partir avec soulagement. J'ai tout de même été un peu sonnée quand Jacques m'a laissée. Il emménageait avec son nouvel amour, une compagne de travail avec laquelle il est toujours d'ailleurs. Thomas avait à peine trois ans. Ma sœur Blanche a pris ses cliques et ses claques et est venue me «ramasser», comme je l'avais entendue le dire à notre jeune frère. Je me suis laissé gâter. Elle est partie comme elle est arrivée, sans annonce, un peu déçue tout de même de me voir si vite remise de cette terrible épreuve qui aurait dû me laisser un peu plus maganée. Avec le recul, j'ai compris qu'elle était venue constater les dégâts. Sans doute une façon de se rassurer : sa petite sœur si parfaite et si gâtée goûtait enfin aux aléas de la vie qui n'épargnent personne. Ma sœur ne m'aime pas. Elle n'aime personne, à mon avis. Elle, moins que toute autre. J'ai appris à vivre sans. Sans son amour auquel plus jeune j'aspirais tant. Sans ses appels. Sans elle. Mais là, avec ce qui arrive à maman, je ne pourrai pas l'éviter. Je vais devoir me taper une semaine d'indifférence affectée dans un contexte déjà peu jojo. J'ai bien peur que ça pète quelque part et que ça éclabousse fort. J'en ai mal au cœur juste d'y penser.

Elle s'est levée de la table et s'est installée, toute recroquevillée, au bout du sofa, un châle sur les épaules malgré la chaleur. L'idée m'est venue de lui dire que sa mère ferait peut-être office de Blacky pour leur permettre de se réconcilier... Peut-être pas une bonne idée finalement. Je ne voulais pas qu'elle associe sa mère mourante à la tache de Blacky sur l'asphalte trempé de Roberval. Je me suis tue.

J'entendais les cloches de l'église qui sonnaient l'angélus. Midi. Il n'y a pas si longtemps, j'étais toujours dans la cour d'école pour prendre Maxime qui venait dîner à la maison. On quittait la cour au son de l'angélus. J'ai toujours trouvé ce son apaisant et rassurant. J'évite quand même de penser que les cloches de mon village ont été depuis déjà fort longtemps remplacées par un enregistrement. J'imagine un petit moine qui se balance au bout des câbles géants, ses souliers poussiéreux qui quittent le sol à chaque envolée. C'est beaucoup plus joli.

Madeleine a fermé les yeux. Elle a les sourcils froncés. Je ne l'ai jamais vue comme ça et j'ai bien peur de ressentir l'ombre d'une émotion dont j'aurais très honte. Comme une espèce de soulagement de voir qu'il lui arrive de vivre, elle aussi, des moments difficiles. Je pense à Blanche. À l'envie qui pervertit. Comme c'est petit, tout ça.

CHAPITRE 7

Je viens d'aller marcher sur le chemin Dubreuil. Grand évènement dans ma vie de rescapée. Au pire de l'exploit, je me suis demandé si c'était une thérapie ou du pur masochisme. Il y a une pancarte Re/Max devant la maison de Maurice. Ça peut faire quelques semaines qu'elle est là déjà. Je ne suis pas revenue marcher par ici depuis un bon bout de temps. Je trouve ça obscène : petite pancarte proprette qui réglera tout, ni vu ni connu. T'auras pas été grand-chose, mon Maurice, finalement. Comme nous tous d'ailleurs. Maudit qu'on est innocents! On pense que ça veut dire quelque chose, que ce qu'on fait vaut quelque chose. L'effet papillon, disent-ils. Mettons qu'il y a des jours où j'ai l'impression que ça prendrait un moyen ventilateur à l'autre bout.

J'ai pleuré tout le long du chemin Dubreuil. Je m'arrête sur le pont près du «petit bois à Maurice». Je m'assois sur les immenses drains de ciment qui traversent le chemin, sous terre, pour laisser filer un joli ruisselet, sans doute chargé d'une tonne de pesticide. Et la Loulou qui s'y désaltère chaque fois! C'est comme rien, elle doit être à la veille de briller dans le noir.

Le fond de l'air est frisquet. Un avant-goût de l'automne. Propice aux épanchements. Je chiale un bon coup. Tu penses que c'est fini les larmes. Peuhhh… c'est un puits sans fond. Et entre deux hoquets, je pense que si les ruisseaux érodent le versant de la montagne, les larmes vont bien former quelques gracieux sillons sur mes joues ramollies. Petit sourire de dépit. Mais petit sourire quand même. Je ne suis pas encore morte. Ce don que j'ai de pouvoir rire de moi alors même que je me sens triste à mourir… La résilience peut-être.

Je me relève et je reste là, les yeux fermés, à sentir sur mon visage la chaleur du soleil qui vient de percer, entre deux nuages gris et bas, plutôt menaçants. Je goûte avec plaisir ce moment de répit. J'ouvre les yeux et je scrute le petit bois fait de jeunes pousses d'arbres qui ont survécu, il y a quatre ou cinq ans, au bulldozer de Maurice. Quand Maurice a vu son petit bois aux nouvelles régionales de 6 h : meurtre à Saint-Eugène, règlement de compte dans une sordide histoire de dope. Les dettes de cet acabit ne sont pas de celles qu'on peut laisser longtemps en souffrance. Le débiteur a fini la tête écrasée sous une des roches dont Maurice avait libéré sa terre au printemps, comme chaque année. Son bois, sa roche, son univers tranquille. Maurice n'a fait ni une ni deux : le lendemain du drame, il mettait la scie mécanique et le *bull* dans son petit bois qui servait de *pit stop* aux chevreuils à mi-chemin entre les deux champs bordant des forêts dignes de ce nom.

Mais la nature a la vie dure. Les jeunes bouleaux et trembles de quatre ou cinq ans poussent comme le duvet sur le menton du jeune homme. Je regarde cette tache qui renaît patiemment, inéluctablement, parmi les épis de maïs qui bruissent sans arrêt. Je ferme les yeux et les écoute. J'aime ces moments bucoliques. Je sens une présence. Tout de suite, je pense à Maurice, et mon moi intuitif en devenir est convaincu qu'il est là, quelque part, à me regarder. Son regard n'est plus douloureux comme il l'a été, aux durs moments de sa passion. Il garde les traces d'une certaine tristesse, mais j'ignore si elle est pour lui-même ou envers moi. Me regarde-t-il avec compassion ou sont-ce les vestiges d'une grande désillusion?

Comment expliquer ces gens qui font l'unanimité? Il y aura bien une grande gueule ou deux pour dire le contraire, mais, bon, on s'entend. Il y a des gens qui plaisent à tous: les Madeleine de ce monde. Le reste du peuple gravite autour d'eux comme de petits éphémères autour des cent watts des balcons, par une frileuse soirée de fin d'été.

C'est sans doute ce qui a fait sortir Maurice de sa cabane, ce qui lui a fait initier le pas qu'il redoutait depuis toujours. Ce pas qui l'a mené aux portes de l'enfer. Il le redoutait parce qu'il savait. Mon professeur de croissance personnelle dirait qu'il a fait un choix, qu'il n'y a ni bon ni mauvais choix. Que la vie est une suite d'expériences, que le but importe peu, que c'est le chemin qui compte. Tout est une question de choix. Maurice a choisi. J'ai tendance à penser que le destin tirait fort de son côté. Il n'est pas sorti de sa cabane le cœur vaillant. Il a été aspiré. Dans notre monde. De l'autre côté de la barrière qu'il n'avait jamais franchie. À mon avis, il savait et il redoutait.

Maurice est devenu un habitué de nos soupers entre amis. Laurent a vite eu la piqûre du lancer léger à deux pas de chez soi. Magnifique coucher de soleil et agréable compagnie aidant, la Yamaska a repris du galon. Laurent se joignait de plus en plus souvent à Maurice et Madeleine qui allaient maintenant ensemble taquiner le poisson tous les mercredis et vendredis soir, à l'heure orange. Cet été-là, on disait que le doré avait la baboune sélective. Il ne se laissait pas tenter facilement. Personnellement, j'ai toujours pensé qu'avec tout ce qu'il avale dans la Yamaska, il est écœuré : non, merci, sans façon, je passe mon tour.

Un soir, j'enfourche ma bicyclette et je roule les six kilomètres pour les surprendre. Je m'arrête sur le petit pont, envoûtée. La rivière coule, peu profonde, en murmurant à peine. L'odeur des sapins sur la rive opposée. La scène fait mal aux yeux. J'observe mes amis dans l'eau jusqu'à mi-cuisse qui bougent à peine, une dizaine de mètres les uns des autres : Madeleine au centre, Laurent le plus en aval des trois. Je l'entends crier quelque chose. Puis, le gros rire gras de Madeleine, si peu élégant, si contagieux. Je ne peux comprendre ce qu'ils disent. Mais leur plaisir parle plus fort que tout dans les rayons du soleil qui se couche derrière la côte à Demers : la rive orangée, la rivière enflammée et les trois pêcheurs concentrés. Laurent m'aperçoit et me lance un «Salut, ma blonde!» qui vient en un instant élargir le tableau. J'imagine la scène, délicieuse : la femme à vélo, un pied à terre et l'autre au repos sur la pédale, la main droite sur le parapet, manifestement sous le charme. Elle observe le ballet des cannes à pêche et des petits hommes couleur d'agrume qui donnent le rythme. Vision fugace du paradis.

— Maurice a attrapé un gros brochet! Montre-le-lui, Maurice!

Maurice, tout sourire, exhibe son trophée.

— On va se faire tout un snack! Maurice va l'apporter demain soir pour souper! Maxime va être contente! Son poisson préféré!

Comment ne pas se vautrer? Je pense à Maurice qui a passé les premières quarante-cinq années de sa vie à l'ombre de la maison paternelle, sans amis, sans surprises, sans problèmes. Le voilà, sans transition, pataugeant dans une mare de copains sympathiques où se baigne une sirène qui le dévore. Lui qui n'a jamais appris l'abc de la nage dans la piscine des relations humaines. Il n'aura jamais eu le réflexe de battre des pieds avant de couler. Où serait-ce qu'il n'en avait pas envie? Question existentielle: avait-il le choix? Recueillons-nous pour y penser.

Maurice était un être particulier. Bâti comme un bloc de béton, tout d'un morceau, il semblait extrê-mement concentré. Comme s'il n'embrassait qu'une chose à la fois. Il le faisait de manière si intense qu'elle l'absorbait tout entier. Madeleine s'extasiait de sa grande facilité à goûter la subtilité des arômes des Cahors et des Faugères auxquels elle l'avait initié. J'imagine que si Madeleine avait aimé le golf, il n'aurait pas manqué une partie de Tiger Woods au petit écran et aurait acheté tous les DVD en magasin. Mais Madeleine aime le vin, la bonne table et les petits plaisirs. Maurice qui, malgré les tourbillons de la passion qui l'emportait, était un homme essentiellement rationnel, s'est mis à la besogne. Il a appris le bon vin comme on apprend les mathématiques. Coup de chance, il avait un bon nez. Fait tout de même cocasse pour un homme qui a passé sa vie dans une porcherie. Mimétisme peut-être? On dit que le cochon a un odorat exceptionnel. Bref, Maurice présentait maintenant des vins étonnants à une Madeleine ravie. L'élève dépassait le maître, et le maître s'en réjouissait.

Il s'est construit une cave à vins et a fait venir ses meilleures bouteilles par l'intermédiaire du gérant de la SAQ Sélection de Saint-Hyacinthe, heureux de pouvoir deviser avec ce nouvel amateur. Je n'ai alors certainement pas apprécié à leur juste mesure ces trésors qui aboutissaient de semaine en semaine sur notre table, au milieu de nos gloussements de plaisir anticipé. Je n'ai jamais été connaisseuse. Je goûtais néanmoins ces nouveautés. Madeleine tentait de m'éduquer et s'extasiait devant la précision du parfum qui émerge, après que tout le reste est parti. Si vous le dites... Laurent, mi-rieur, admirait la jambe. Maurice ne disait rien. Il fermait les yeux, et son silence respectueux traduisait toute son émotion. Il ne faisait pas semblant. Je n'ai d'ailleurs jamais pu imaginer Maurice faisant semblant. De quoi que ce soit. *What you see is what you get.*

Maurice avait appris à pêcher à l'âge où la plupart des enfants entrent à l'école. Les temps étaient durs pour ses parents qui en faisaient l'élevage à une époque où le prix du porc était au plancher. La Yamaska faisait alors office d'étal de service pour quiconque savait s'y prendre. Le père de Maurice l'avait initié, et Maurice, qui avait toujours su aller à l'essentiel, avait appris l'art de ramener l'achigan et de bien ferrer le brochet. Les années de vaches maigres sont bien loin derrière lui, mais Maurice est un homme d'habitudes et il continue bon an mal an à pêcher, deux fois la semaine.

Il a appris le vin comme la pêche : vite et bien, par nécessité. Il comptait bien tout mettre en œuvre pour garder sa Madeleine bien amarrée à son port d'attache

– sans jeu de mots. Je crois qu'il n'a pas compris qu'un paquebot aussi immense a besoin de beaucoup d'espace.

Je frissonne. Le soleil s'est caché à nouveau. Le temps devient définitivement maussade. Levant la tête, je cherche en vain un trou dans les nuages. Le bois de Maurice s'est assombri. Je me sens un peu moins d'adon pour un tête-à-tête avec feu mon voisin. Je hâte le pas. Mon inconfort masque ma mélancolie. Ça change le mal de place.

Je suis quand même fière de moi. Je suis allée marcher là où tant de fois déjà m'accompagnait une Madeleine rieuse et babillarde. Si on compte l'aller et le retour, je suis passée deux fois devant la maison de Maurice où, il y a à peine deux mois, son homme engagé l'a trouvé pendu à une poutre de sa porcherie. Il n'avait pas niaisé avec le *puck*. Monté sur la poutre de sa vieille soue, il s'était lancé dans le vide, la corde au cou. Il avait bien calculé, la poutre a tenu le coup. Il aura été aussi précis et efficace dans son suicide que dans tous les autres aspects de sa vie. Ou presque. L'interaction sociale mise à part, disons.

Les cochons ont fêté ça en mangeant double ration cette journée-là. Personne ne sachant s'ils avaient déjà été nourris, on les servit à nouveau. Ils étaient heureux, un peu troublés quand même avec tout ce va-et-vient des policiers, ambulanciers et enquêteurs. Maurice n'était vraiment pas content: voir s'il n'aurait pas nourri ses bêtes avant de sauter! Gang d'épais.

CHAPITRE 8

Madeleine n'a pas fait le voyage à Roberval pour rien. Elle a perdu sa mère et retrouvé sa sœur. Enfin presque. Pierre-Paul et Madeleine sont arrivés à la maison familiale aux petites heures vendredi matin. Ils pensaient y être dans la soirée de jeudi, mais, puisque tous les deux appréhendaient d'une certaine manière le moment des retrouvailles, la route connut des méandres inopinés.

En fin d'avant-midi, alors que je les croyais déjà en route, Madeleine m'appelle. Combine, sa chatte, est introuvable. Elle a fouillé partout, dans la remise, la maison, sans succès. Est-ce que je pourrais y retourner ce soir? Elle me laissera la clef en passant. Lorsque Pierre-Paul est arrivé tôt le matin, Madeleine cherchait déjà Combine. Six semaines plus tôt, la petite chatte noire et blanche avait donné naissance à autant d'adorables rejetons dont elle fuyait maintenant de plus en plus souvent les petites bouches arrogantes, jamais rassasiées. Madeleine avait prévu de faire le sevrage au *pablum* le samedi qui venait. Malheureusement pour Combine, d'autres soucis allaient repousser l'heure de la délivrance. Sans doute le sentait-elle confusément. Elle refusait de revenir auprès de ces suceurs de sève. Madeleine, qui ne pouvait laisser la mère dehors et les vampires à l'intérieur, la cherchait désespérément. À 11 h, ne l'ayant toujours pas trouvée, Madeleine et Pierre-Paul ont sorti les chatons de la penderie où Combine les avait transportés peu après son accouchement, pour les installer dans une boîte, dans la remise. Madeleine espérait que la porte ouverte et les miaulements insistants sauraient guider l'instinct maternel de la renégate.

Entre deux appels de plus en plus résignés, Madeleine embarquait ses derniers effets dans la vieille Volvo familiale de Pierre-Paul qui attendait au volant depuis déjà un bon moment. Repoussant sans cesse l'inéluctable, Madeleine appela Blanche pour l'informer de leur départ imminent. Il était 11 h 35 lorsque Maxime et moi entendîmes par la fenêtre ouverte de la cuisine le frottement des pneus de la Volvo sur le gravier de la cour. Cet arrêt pour laisser la clef ne devait prendre que quelques instants, puisque notre maison est à mi-chemin entre le village et la 20, qui mène à Québec, elle-même sur la route de Roberval, c'est bien connu.

Je préparais une salade niçoise avec Maxime qui coupait les anchois sur le bord du comptoir lorsque les jappements de Loulou les accueillirent. Je n'avais jamais rencontré son frère et je me rappelle m'être sentie soudain très hospitalière lorsqu'il est entré dans la cuisine. De quinze ans plus jeune que sa sœur, un bébé sur le tard comme on dit, il portait le cheveu, qu'il avait naturellement frisé, longuet et ressemblait vaguement à Julien Clerc au même âge. Je voudrais spécifier que je n'ai jamais aimé Julien Clerc. En tout cas, pas depuis une certaine entrevue où son attitude de macho français m'avait totalement fait débander. Mais, bon, ça ne lui enlève rien physiquement.

Pierre-Paul avait cet air un peu innocent de poète égaré. Tout de suite, Maxime et moi avons échangé un regard coquin qui en disait long. Il y a de ces cadeaux de la nature qui dépassent le temps et savent enchanter et la mère et la fille. L'heure n'était pas aux réjouissances, nous le savions tous. Mais il fallait bien manger. Et c'était ça ou un prochain fast-food en banlieue de Drummond la magnifique. Tout était prêt de toute façon; on n'avait qu'à rajouter un peu de ceci et de cela. Je joignais la parole aux actes et sortais le sac de laitue fraîchement lavée, invitant Maxime du regard à tailler un peu plus de la baguette au levain que nous venions d'entamer.

Madeleine ouvrait déjà le petit rosé qu'elle avait elle-même apporté quelques jours plus tôt et que son œil averti avait aperçu à l'ouverture du frigo. Elle servit un verre à Pierre-Paul, coupant court à ses objections ma foi peu convaincantes. La propension à jouir du moment présent était, semblait-il, héréditaire. Je ne fus pas surprise de le voir se tirer un banc au comptoir où Maxime et moi nous affairions et porter le verre à ses lèvres, plutôt jolies. Je le trouvais pour le moins agréablement déstabilisant. Je passai néanmoins les quelques heures qui suivirent à tenter de trouver ce qui n'allait pas chez lui. Beau garçon comme il était, il ébranlait. Mais il lui manquait ce qui faisait de Madeleine une redoutable femelle : le charme irrésistible que confère le fait d'être parfaitement bien dans sa peau et, tout en demeurant d'un abord agréable, de donner l'impression qu'on n'a besoin de personne.

Lorsque la Volvo reprit la route, il passait 14 h. Ils avaient été très étonnés tous les deux lorsqu'ils réalisèrent l'heure qu'il était, mais ils conclurent qu'ils avaient fait une bonne affaire puisqu'ils pourraient faire un bon bout de chemin sans s'arrêter. Je pensai furtivement qu'ils auraient sans doute à évacuer leur part – non négligeable – de rosé de Provence et les deux expressos qui devaient les «raplomber» pour la route. Considérations triviales.

Peu importe ce qu'allait m'en dire Madeleine quelques jours plus tard lorsqu'elle m'appela pour me raconter l'aventure qui allait se terminer de si triste manière, il était clair dès le départ que l'empressement n'était pas de la partie.

À Québec, Pierre-Paul proposa d'arrêter dans une petite librairie tenue par un ami de longue date qu'il avait connu à l'université Laval et qu'il ne manquait jamais de saluer en passant; deux minutes pas plus. Madeleine, qui aime bien bouquiner, accepta de bon cœur. La sympathique petite boutique sentait la vieille page et si peu le commerce. L'intermède se prolongea un peu. Comme l'ami libraire cédait la place à une jeune étudiante travaillant à temps partiel à compter de 18 h, il leur offrit de partager saucisses et choucroute au petit pub d'à côté qui brassait de manière artisanale une rousse pas piquée des vers et qu'on ne pouvait goûter nulle part ailleurs. L'heure du souper approchant, Madeleine et Pierre-Paul y virent un merveilleux adon.

Lorsque Blanche leur ouvrit la porte de la maison paternelle, il était presque 2 h du matin. Elle avait les cheveux en bataille et l'œil en colère. Vision qui rappela à Madeleine le souvenir de sa mère à une époque lointaine où l'énergie et la santé ne lui faisaient pas défaut. Madeleine s'était pourtant mentalement préparée, au cours des dernières heures, regardant sans la voir la forêt de conifères qui borde la 169. Ils avaient traversé la réserve faunique des Laurentides en jasant de ci et de ça, repoussant sans cesse l'inéluctable. Les quelques lumières d'Hébertville avaient sonné le glas de leur conversation. Les derniers kilomètres avaient été franchis dans un silence lourd d'appréhension.

L'atmosphère à la maison était sordide. Blanche communiquait par soupirs exaspérés, et son visage de face de plâtre traduisait ses reproches cumulés. Pierre-Paul se faisait tout petit, semblant sentir l'arrivée prochaine de la tempête. Il ressemblait à ces gros chiens qui craignent les orages et se blottissent entre les jambes du maître au premier grondement de tonnerre. Il se réfugiait dans son ancienne chambre, au deuxième, feignant quelque besogne. C'est du moins ce que pensait Madeleine qui lui en voulait un peu de sa lâcheté. La vie la ramenait à la case départ. Le problème était resté entier. Elle devrait l'affronter toute seule.

Le dimanche après-midi, ils se rendirent tous les trois à l'hôpital. Il tombait une petite pluie froide sans cœur, et Madeleine regrettait de ne pas avoir apporté des vêtements plus chauds. Le mois d'août avait été doux et agréable, et elle ne s'attendait pas à cette fraîcheur hâtive. Ils avaient visité leur mère tous les jours depuis leur arrivée, mais elle était demeurée dans un demi-sommeil.

Cet après-midi-là, elle connut un regain d'énergie. Quelques heures d'un réveil ultralucide où l'urgence de tout dire la faisait trembler. Elle suppliait les deux sœurs de se réconcilier une fois pour toutes, d'oublier leurs différends, pour elle, pour le repos de son âme. Comme elle était aussi fin psychologue et délicate qu'un bulldozer dans un champ de fraises, elle mit tout le fardeau de cette tâche sur les épaules de sa plus vieille, l'exhortant à plus de compréhension envers sa jeune sœur, d'une nature moins pratique mais agréable. Elle lui reprochait sa rigueur et son manque d'empathie.

Blanche devenait livide. Leur mère était assise sur le bord de son lit d'hôpital, ses petites jambes si menues tombant mollement. Seul le haut de son corps semblait animé. Elle admonestait Blanche qui aurait dû donner l'exemple. Pierre-Paul, passé maître dans l'art de l'esquive, s'était réfugié dans la salle de bain et semblait souffrir d'une sérieuse constipation. Madeleine aurait voulu se jeter sur sa mère pour l'implorer de se la fermer. Elle ne faisait qu'aggraver les choses : elle avait ouvert toutes grandes les valves du barbecue. Madeleine pouvait entendre la sortie du gaz propane.

Après une longue diatribe, leur mère porta soudain la main à sa poitrine et fit mine de vouloir se recoucher. Madeleine, trop heureuse de cette diversion, se précipita pour l'aider à s'étendre. Lui demandant si elle avait froid, si elle voulait de l'eau, l'enjoignant de se reposer. Blanche n'avait pas bougé du bout du lit, et Madeleine, qui évitait de la regarder, aperçut ses jointures blanchies qui serraient fermement son sac à main qu'elle avait déposé en arrivant au pied du lit. Leur mère gisait maintenant tranquille, imperméable à l'émoi qu'elle venait de causer. Pierre-Paul, qui sortait des toilettes, proposa qu'on la laisse se reposer et il prit sa veste en jeans derrière la porte, espérant échapper au plus sacrant à l'air confiné de cette petite pièce désormais toxique. La semeuse de zizanie s'était rendormie, la bienheureuse.

Au retour, Pierre-Paul prit le volant, aux côtés de Madeleine. Blanche s'est vite réfugiée à l'arrière, ne réclamant pas pour une fois son droit d'aînesse au siège du passager. Pierre-Paul et Madeleine échangeaient des banalités, tentant d'alléger un peu l'atmosphère. Le silence de Blanche parlait plus fort que tout. Madeleine entendait le chuintement du barbecue. En arrivant, Blanche monta à sa chambre et ne descendit pas souper. Au cours de la soirée, elle vint rejoindre Pierre-Paul et Madeleine au salon. Ils entretenaient leur voisin, monsieur Émeri, venu prendre des nouvelles de leur mère en passant. Madeleine tentait de répondre de manière civile et raisonnable, mentionnant que leur mère se battait vaillamment contre la maladie. Monsieur Émeri acquiesçait du bonnet, la bouche un peu crispée, pleine de compassion. Blanche se tenait dans l'encadrement de la porte menant à la cuisine, les bras croisés sur sa forte poitrine, l'air mauvais.

— Qu'essé que ça peut ben vous foutre que la mère pette au frette c'te nuit', mon cher monsieur Émeri? Vous avez passé vot' temps à la faire chier avec ses arbres qui vous faisaient de l'ombre, leurs feuilles qui tombaient sur vot' terrain, leurs racines qui poussaient dans vot' jardin plus vite que vos patates… Vous avez jamais arrêté de chialer pour tout' pis pour rien depuis que le père est mort. Avant ça, vous aviez ben trop peur de lui pour l'écœurer de même. Mais quand y a levé les pattes, vous avez jamais piffé que la mère veuille rien savoir de vos osties d'avances de vieux libidineux…, faque vous l'avez fait chier d'aplomb. Pis là, vous allez essayer de nous faire accroère que vous allez la regretter?

Madeleine s'était levée et s'approchait de Blanche:

— Voyons, Blanche, calme-toi. Tous les voisins du monde se chicanent un peu…

— Se chicanent un peu! L'ostie de cochon a essayé

de la faire chanter avec sa haie de lilas en arrière. L'arpenteur-géomètre qui a posé les bornes a trouvé que les lilas de môman étaient su'l terrain du vieux crisse qui a dit à môman que si elle voulait être fine, y aurait toujours moyen de s'entendre! Môman était tellement en tabarnac, le lendemain elle a pris sa *chain-saw* pis est allée les raser, ses lilas, pis a l'a engagé le petit Beaulieu pour bâtir l'ostie de clôture laide qui est là depuis ce temps-là. Se chicaner un peu! Tu sais rien, Madeleine, tu connais rien! Tu peux pas savouère, t'étais jamais là, crisse! À part des petites visites de temps en temps, question qu'a t'oublie pas quand même... À chaque fois que t'es venue faire des tours pendant que j'étais pas là, j'en ai eu pour des semaines à l'entendre vanter sa Madeleine d'amour, qui travaillait à la « piiiiige pour des émissions kûlturelles de Raaadio-Caanaadaa »...

— Blanche, j'ai eu autant de misère que toi avec môman quand j'étais jeune. Moi non plus, elle était jamais contente de moi...

— Ouann... Mais moé, je me suis pas sauvée, Madeleine. Chus restée! Toé, en partant de même, on dirait que t'as pris du mieux dans sa tête. T'es devenue une intellectuelle de la grande ville. T'étais pus paresseuse, t'étais bohème. T'étais pus fainéante, t'étais différente. T'étais pus pardue, crisse t'étais artisssss. T'as jamais rien chié qui vienne de toé par exemple, t'es just' bonne à traduire ce que les autres ont fait à ta place, mais vu que ton nom apparaissait de temps en temps au générique de quequ'émission plate à mort, t'étais rendue quequ'un!

— Maudite Blanche! T'as scrapé ta vie pis faut que tu me le fasses payer... Y a jamais personne qui t'a obligée à rester, Blanche. Tu voulais être vétérinaire, tu te rappelles? Tu voulais aller étudier à Québec. T'as décidé d'être infirmière parce que t'avais pas les notes qui fallaient. T'as décidé de rester ici parce que ça faisait ton affaire d'être la bonne fille, celle qui s'occupe de sa mère, celle sur qui tout le monde peut compter. Blanche est fiable. Blanche est responsable. Maudit que t'aimes ça, cette étiquette-là. Une vie de devoirs et de responsabilités, ça te fait une maudite belle réputation, mais crisse que c'est plate, hein, Blanche?

Monsieur Émeri, qui était resté le derrière sur le bout du divan, se leva tout doucement en marmonnant quelques excuses, profitant de la dispute pour rentrer chez lui, la queue entre les deux jambes. Pierre-Paul, c'était à prévoir, se fit hôte civil et bienséant pour le reconduire à la porte et même un peu plus loin. La soirée serait longue.

Dehors, la pluie tombait toujours. Pierre-Paul s'assit au volant de sa Volvo, écoutant la voix chaude de B. B. King portée par la guitare d'Eric Clapton. La pluie dégoulinait sur le pare-brise, et les vitres de l'auto s'embuèrent rapidement. C'était aussi bien. Personne ne pouvait voir qu'il pleuvait aussi dans l'auto. Pierre-Paul pleurait comme un bébé, insensible à la morve qui dégoulinait sur ses lèvres, si jolies. C'est du moins l'image qu'en eut Madeleine lorsque, quelques heures plus tard, Pierre-Paul tenta de se faire pardonner sa défection.

Pendant ce temps, à l'intérieur de la maison, la colère, la rancune et la hargne avaient pris toute la place. Les bouquets de fleurs que Madeleine avait déposés la veille sur le rebord des fenêtres s'étiolaient prématurément. Les cinq chandelles du candélabre posé sur le vieux buffet du salon s'éteignaient une à une, faute d'oxygène. Le chat qui dormait sur le coussin de la chaise berçante cherchait son souffle en râlant. La tapisserie se racornissait et du plafond tombaient des graines de plâtre comme de grosses pellicules sur les cheveux teints brun de Blanche.

Les deux sœurs s'étaient tues, étonnées. Madeleine passait sa main sur le dos du divan dont les fils se brisaient un à un. Blanche secouait sa tête, faisant danser des petits bouts de plâtre blanc autour d'elle. Le téléphone sonna, les deux sœurs se regardèrent. Ni l'une ni l'autre ne répondirent. Elles avaient compris. Pierre-Paul, qui entrait à ce moment, répondit en soufflant bruyamment tandis qu'il regardait d'un œil surpris la pièce en décomposition. Il reposa délicatement le combiné et sortit du salon sans un mot, laissant derrière lui ses deux sœurs dans les bras l'une de l'autre, pleurant les mots durs et coupants qu'elles s'étaient dits et leur mère qui comme Blacky était partie en plein orage.

CHAPITRE 9

La vie est *tough* pareil. Chaque été, au moins une fois, je rase un des petits arbres si vaillamment plantés par Laurent. Je descends du tracteur à gazon, je fais le tour de la victime. Misère. Je ne sais pas si c'est parce que la tonte du gazon est un moment propice à la rêverie, mais chaque été, j'en chope un. L'an dernier, c'était un petit lilas que Laurent avait planté un an plus tôt, aux derniers temps de notre cohabitation. Se doutait-il qu'il ne serait plus là lorsque ses belles fleurs embaumeraient sous la fenêtre du salon? Mais Laurent est un être d'exception. Je l'ai déjà dit. Il aurait continué à garnir mon jardin jusqu'à la fin. Il le ferait sans doute encore si je le lui demandais. Il serait capable de m'apporter des boutures des plants de Madeleine.

Bref, l'an dernier j'ai zigouillé le joli lilas de Russie avec le tracteur à gazon. Je pensais lui avoir réglé son cas, bien malgré moi tout de même. Mais, oh! surprise, un samedi matin en fin de mai, après un printemps particulièrement clément, j'aperçois quelques petits bourgeons qui poussent de peine et de misère sur le moignon de lilas par ailleurs plutôt dégarni.

Welcome Back, Kotter. Je fredonne l'air connu, mon

café à la main, songeant à quel point la vie est plus forte que la police. Un peu de chaleur, un peu d'eau et de nourriture terrestre. Un lilas de Russie peut en témoigner. Une fille aussi. Je suis sortie ce matin dans le jardin, un petit air guilleret à la bouche.

Comment expliquer? En octobre dernier, j'ai eu une sérieuse discussion avec Maxime. Pour dire vrai, c'était plutôt un sermon de la fille à la mère. Elle revenait un peu plus tôt que prévu d'une fin de semaine chez son père. J'étais recroquevillée sur le divan du salon, écoutant du Portishead à tue-tête, question de me remonter le moral... Musique noire pour humeur noire. J'en étais à me demander comment je pourrais me suicider sans que ça paraisse. J'ai senti une présence. Ça y est, c'est mon guide spirituel. J'attends ce moment depuis si longtemps. Je lève la tête et j'aperçois Maxime qui se tient dans l'embrasure de la porte de la cuisine, bras croisés, l'air dégoûté.

— As-tu fini, là? As-tu fini, maman?

Elle traverse le salon d'un pas militaire pour éteindre l'ampli d'un geste sec. Je ne crois pas opportun de lui rappeler qu'elle doit d'abord éteindre le lecteur. Elle a l'œil mauvais. Je sens que je vais passer au cash.

— Là, ça va faire. Tu vas faire ça combien de temps encore, maman? Ben oui, tu fais pitié! Es-tu contente? Parce que c'est ça que tu veux, non? Faire pitié? À chaque fois que je reviens, je te retrouve de plus en plus petite, de plus en plus piteuse. On dirait que t'aimes ça! T'écoutes tout ce qui peut te plonger un peu plus profondément dans ta misère. Si c'est ça que tu veux, maman, ben, plonge! Mais moi, je plongerai pas avec toi. Pis j'sais pas assez bien nager pour aller te chercher!

Et vlan dans les dents. Sur ce, ma pouliche en colère tourne les talons et grimpe à sa chambre, claquant la porte avec vigueur.

Je me lève, un peu sonnée quand même. J'éteins le lecteur CD. Je réfléchis. Coudon, est-tu à la veille d'avoir ses règles, elle? Je tempère un peu. Mais, bon. Le message est là. Je m'étais promis de vivre mon deuil, de ne pas faire semblant. Est-ce que ça existe une espèce d'échéancier du deuil. En bas de six mois: vous n'étiez pas vraiment en amour, ou bien vous vous faites des accroires. Le monstre est là, tapi, et il reviendra vous hanter tôt ou tard. Entre six et douze mois: *bull's eye*! Vous êtes le modèle parfait de l'endeuillé – j'allais dire de l'andouille – réglementaire. On vous cite en exemple. De douze à dix-huit mois, c'est limite. Attention, la complaisance vous guette. Votre fille aussi. Plus de dix-huit mois: victime un jour, victime toujours. Vous devriez rencontrer bientôt l'homme de votre vie: un batteur de femmes.

Je fais quoi avec ça? Ma cousine Denise des États me dirait en claquant les doigts: *Snap out of it!*

J'ai commencé par le commencement. J'ai pris le taureau par les cornes. Ne reculant devant rien, je suis allée me faire faire une permanente. Horreur. Je voulais une coiffure bien ondulée dont les bouclettes bougent encore quelques secondes après la fin du mouvement de la tête. Le premier mois, j'avais l'impression d'avoir un nid d'abeilles sur la tête. J'ai acheté toute la gamme des produits *défrisants*. Deux mois plus tard, je me suis fait couper les cheveux pour effacer toute trace du désastre. Je me suis aussi rappelé les enseignements de mon prof de latin : *Mens sana in corpore sano*[1]. J'ai acheté un abonnement d'un an chez Poisson, un centre de conditionnement physique de Saint-Hyacinthe, réservé aux femmes. Le couperet est tombé. J'avais la fesse molle, le mollet fuyant, la cuisse épaisse, le sein avachi et les abdominaux... – quels abdominaux? À raison de trois séances d'une heure et demie par semaine, je serais une nouvelle femme le printemps venu. Exactement ce qui me convenait.

Je suis allée m'acheter quelques survêtements, pour être à l'aise. J'ai été très disciplinée durant les quatre premiers mois et je regardais avec grand plaisir ma silhouette s'affiner. Je suis retournée magasiner. En février, la collection printanière est irrésistible. Chez *San Francisco*, il y avait une petite robe à bretelles absolument magnifique. L'image de ma tante Rosine et de ses gros bras pendants, par ailleurs si accueillants, m'est revenue en tête. J'ai pris note de travailler davantage les triceps. Je me suis acheté trois petits ensembles sport, moulants à souhait, et L'Entraide diabétique a hérité de mes survêtements. On appelle ça le renforcement positif. Plus tu te trouves belle, plus t'as le goût d'être belle. La salle d'entraînement est ceinte de hauts miroirs auxquels nulle n'échappe. Sans parler du regard oblique des autres femelles à l'effort. Mon prof de latin avait bien raison.

La maison aussi faisait peau neuve. Laurent, qui en est toujours copropriétaire, a retenu les services d'un entrepreneur du coin pour faire remplacer toutes les fenêtres et les bardeaux du toit.

---

1. Un esprit sain dans un corps sain.

— Les fenêtres, ça fait longtemps qu'on aurait dû le faire. Pis j'ai eu un gros bonus cet hiver à la job, je suis capable d'avancer ce qu'il faut. Si on veut la vendre un jour à un bon prix, il faut l'entretenir. Pour ce qui est du toit, j'ai remarqué des traces d'infiltration d'eau dans la penderie de l'entrée. Faut pas attendre. Je connais le contracteur, il fait du bon travail et j'ai confiance en lui.

Je sens comme une grosse boule dans mon ventre.

— Tu veux vendre?
— Pantoute! Je vois ça comme un investissement. Jeanne, tu le sais, tu peux garder la maison toute ta vie si ça te tente. Jamais je ne t'obligerai à déménager. Max et toi, vous êtes bien ici. Je le sais. Pis c'est important pour moi. Si un jour tu veux être seule propriétaire, on s'arrangera. D'ici là, faut la garder en ordre.

Du pur Laurent. Pragmatique et humain. Pis beau en plus. Il vient de passer deux semaines dans le Maine avec Madeleine, et son teint bronzé fait d'autant plus ressortir son sourire *Pepsodent*. Quand il est arrivé, j'étais assez fière d'exhiber ma nouvelle forme qu'il n'a pas manqué de remarquer.

— T'as l'air bien, Jeanne. T'as perdu du poids cet hiver. Max m'a dit que tu t'entraînais, mais je vois que c'est sérieux. T'es pas mal belle.

Éponge négligée, mon petit cœur se gonfle. Il doit lire dans mes yeux toute cette soif et il se détourne, embarrassé.

— Bon, ben, je vais y aller. Je dois passer au bureau avant la fin de la journée, et il risque d'y avoir pas mal de trafic.

Je le regarde partir. Je respire à fond : le corps est sain, l'esprit est sain. Reste le petit cœur à pomponner.

Au cours des semaines qui suivent, la maison se transforme en chantier de construction. En bonne hôte que je suis, je prépare la pause-café des ouvriers. Après quelques jours, je sais qui prend quoi dans son café et quelle collation chacun d'eux préfère. Cette soudaine activité dans la maison me stimule. Afin d'être plus présente, je troque l'entraînement en ville pour la course à pied et, m'étant acheté le spécial seins fermes et cuisses d'enfer de Josée Lavigueur, je complète mon calvaire dans mon salon. Cardio et exercices, je couvre toutes les bases. Je pars courir avec mon chien et je sens le regard des ouvriers qui me suit pour un moment. Ça vaut une bonne dose de stéroïdes, sans les effets secondaires. Et c'est légal. J'augmente de jour en jour la distance parcourue, trop heureuse de pouvoir le dire.

Deux kilomètres hier. Deux kilomètres et demi aujourd'hui.

Ouais. La petite madame est en forme.

Le plus vieux des trois ne dit jamais un mot. Il sourit beaucoup, fume comme une cheminée et pousse de temps à autre quelques grognements en guise de réponse. Le deuxième a environ mon âge. Il est amateur de blues et commente souvent mes choix musicaux. Il s'étonne du vaste répertoire de ma collection de CD, et je sens que je ne lui suis pas indifférente. Il a une blonde et il en parle souvent. *No vacancy.*

Le plus jeune a à peine vingt-cinq ans. Un petit coq. L'œil irrésistible de celui qui aime les femmes. Toutes les femmes. C'est très difficile à supporter. Il est le seul à me tutoyer, et son sourire ravageur me fait suer. J'ai beau me répéter que je pourrais être sa mère – en Afrique, presque sa grand-mère –, je sens d'obscurs mouvements dans mon ventre lorsque je croise son regard insistant. Un jour, il attrape la guitare de Maxime durant la pause du matin et enfile une *toune* de Buddy Guy au grand plaisir de mon bluesman qui suit le rythme en frappant la table du plat de la main. Après la pause, il remet la guitare à sa place et s'arrête sur le pas de la porte, replaçant la ceinture de menuisier autour de sa taille.

— Y a rien comme de jouer de la guitare pour attraper les filles. Toutes les filles craquent pour le joueur de guitare.

Cela dit, il me fait un clin d'œil et sort de la maison rejoindre les deux autres qui tapent déjà du marteau. Je ne sais pas si je veux le battre ou l'embrasser. Petit crisse.

N'empêche que je me sens revivre. Je ne me souvenais plus de cette chaleur qui part du bas du ventre et qui réchauffe tout sur son passage. Même les petits cœurs rabougris. Un peu de chaleur, un peu d'eau, un peu de nourriture terrestre. La vie est *tough* pareil.

CHAPITRE 10

C'est à l'automne 2006 que tout a basculé. Depuis que je suis toute jeune, j'adore l'automne. Il m'apporte une nostalgie de retour en classe, et c'est un sentiment qui, paradoxalement, me réconforte. Comme un retour à la maison. Je sens une certaine tristesse que je chéris, disons. Je me rappelle les soirées d'automne où, à l'âge de dix-huit ou dix-neuf ans environ, je m'assoyais sur le balcon chez mes parents et je goûtais déjà cette mélancolie. J'avais terminé le cégep et commencé à travailler, et je me sentais à des années-lumière de ma vie d'écolière. À cet âge-là, le temps dure longtemps.

Depuis l'automne fatidique, je me refuse à cette mélancolie saisonnière aux soirées frisquettes des jours qui raccourcissent. Comme je n'ai pas encore retrouvé tout mon entrain, j'évite les tremplins en eau trouble.

Quand la mère de Madeleine est décédée, en août 2006, les obsèques, la rénovation de la maison qu'elles avaient décidé de vendre et la répartition des trésors familiaux ont occupé les deux sœurs durant plusieurs mois. Blanche avait pris sa décision. Elle quittait Roberval et prenait un nouveau départ à l'Hôpital général de Québec où elle avait sans difficulté trouvé un poste à temps plein.

Après discussions, Madeleine et Blanche avaient décidé de tout vendre, sauf le petit chalet au Lac où la famille allait souvent passer l'été quand elles étaient jeunes. Il était maintenant loué pour la saison, et les deux sœurs savaient que ce ne serait jamais un problème de le louer été après été. Pierre-Paul leur a donné carte blanche; il prendrait ce qu'elles voudraient bien lui laisser. Il devait ramener ses boucles brunes au travail sans délai s'il ne voulait pas perdre son emploi. Madeleine et Blanche l'embrassèrent tendrement avant son départ, l'assurant qu'il n'avait pas à s'inquiéter, que tout serait réglé d'ici peu. Elles le virent partir avec une pointe de soulagement. On passait aux choses sérieuses.

Laurent, qui s'était vu attribuer le secteur des mines à son travail, fit de nombreux voyages à Chibougamau entre les mois d'août et de décembre. Lorsqu'il passait par Roberval, il s'arrêtait quelques jours chez les deux sœurs pour leur prêter main-forte. C'est un homme de cœur qui sait reconnaître le besoin lorsqu'il le voit. Elles avaient besoin d'aide pour une foule de petits travaux avant la vente de la maison, et Pierre-Paul n'avait rien d'un monsieur Bricole. Chaque fois qu'il partait pour sa tournée des mines, Laurent emportait avec lui sa boîte à outils, au cas où. La clôture derrière la maison, l'évier de la cuisine, la deuxième marche du balcon avant. Entre deux visites aux intégrateurs, il troquait son veston pour la salopette. Il m'appelait presque tous les soirs.

— C'est effrayant, Jeanne, tout ce qu'il y a à faire ici. Mais on va en venir à bout. Ça avance. Madeleine et Blanche sont bien contentes. L'agent immobilier est confiant. Il nous a fait une liste de choses à réparer.

Le *nous* n'est pas passé inaperçu. Pronom pour le

moins défini. L'espace d'un instant, j'ai un sombre pressentiment, vite chassé par son enthousiasme et son empressement à me voir le rejoindre.

— Il paraît que la maison a beaucoup de potentiel. Tu es certaine que tu ne peux pas monter en fin de semaine? Au moins, on pourrait se voir un peu. J'ai promis à Madeleine de finir la réparation du balcon samedi. Elle a reçu un gros contrat de traduction cette semaine. Elle va être trop occupée pour me donner un coup de main, pis j'haïs ça travailler avec Blanche. Elle ne connaît rien en construction et elle passe son temps à me dire comment faire. Heureusement qu'elle aime faire à manger, ça l'occupe une bonne partie de la journée. C'est pas mêlant, je travaille comme un cave, pis j'engraisse pareil. T'es sûre que tu ne peux pas monter en fin de semaine?

J'ai toujours eu un horaire plutôt flexible et j'adore accompagner mon chum dans ses voyages d'affaires. Pendant qu'il rencontre ses clients, je découvre des endroits étonnants, parfois si désolants que j'ai peine à imaginer que certains choisissent d'y vivre. Lorsqu'ils sont laids, les endroits, comme les gens, n'attendent rien de vous. Et ceux qui y demeurent non plus. Si vous êtes là, vous avez sans doute une bonne raison. Chacun fait sa petite affaire. On marche le nez à terre. C'est très reposant de faire du tourisme dans les petits patelins dénués de charme.

Ce qu'il y a de bien aussi, c'est que ce sont les gens qui deviennent l'attraction. Mais qui peut bien choisir de venir habiter ici? Je les examine à la dérobée, assise tranquille au *Tim Hortons*. Les *Tim Hortons* dans les endroits laids poussent comme les champignons sous ma galerie. J'écoute les conversations banales, et l'homme ordinaire – très ordinaire – m'apparaît attachant dans son insignifiance. Comme une petite bête. Lorsque j'en ai assez, je retourne à l'hôtel ou au motel du coin où je ne me sens pas coupable de lire durant des heures, paresseusement installée sur mon lit. Que ce soit le *Motel Bon Repos* ou le *Holiday Inn*, le décor a peu d'importance, tant que j'ai un lit, une lumière et une porte close sur mon cocon. D'après Laurent, il faut que je voie Chibougamau.

— C'est laid rare, Jeanne. Tu vas adorer.

Louise, ma patronne, est en congé de maladie pour un temps indéterminé. Elle a un mal de dos chronique qui s'est aggravé ces dernières semaines. Elle peut à peine marcher. Je dois la remplacer. C'est tentant d'aller les rejoindre pour quelques jours. J'imagine mon chum en salopette, rafistolant la clôture, Madeleine penchée sur son portable dans la petite verrière qui donne sur la cour arrière que Laurent trouve si jolie, et Blanche triant les vêtements de la défunte, sentant un morceau de temps en temps, le regard brouillé.

Roberval, c'est trop loin, et un week-end, trop court. Ça n'a pas de bon sens, je reviendrais crevée pour le lundi matin. Un peu à regret, je laisse mon chum à ses bricoles en promettant d'essayer de m'y rendre la prochaine fois.

Lorsque je raccroche, je me sens un peu vide. Je n'aime pas ce trou que je perçois vaguement quelque part entre mes deux seins. Comme je ne suis pas d'un naturel petit Caliméro, je me secoue un peu: c'est jeudi, demain je ne travaille pas, on va se faire une bonne bouffe. Je fais mariner deux immenses *T-bones* – un bon pouce d'épais, rien de moins. Je sors un Amarone à trente-huit dollars la bouteille – d'la marde, y avait rien qu'à être ici, ces deux-là! –, je mets les Pink Martinis et j'écrase sans merci deux ou trois gousses au son de *Yolanda* – irrésistible – pour surprendre ma belle Maxime avec son délice préféré, des escargots au beurre à l'ail. Temps béni des petits soucis que je pouvais aisément diluer dans un ballon de rouge.

Demain, j'inviterai Thomas, le fils de Madeleine, à se joindre à nous pour le souper. Il s'occupe de la maison de sa mère au village durant son absence. Il a passé le mois d'août chez elle et depuis qu'il a repris les cours il vient passer les fins de semaine. Il arrose les plantes, remplit les plats de Combine dans la petite remise dont la porte n'est plus jamais fermée et reçoit de temps en temps sa gang de chums comme s'il s'agissait d'un chalet. Parfois, je le croise au village le samedi après-midi, lorsque je vais à l'épicerie. Il a la grâce naturelle de sa mère, sans artifices. La dernière fois que je l'ai rencontré, il s'est arrêté pour me parler, l'air sérieux.

— Connais-tu ça, un gars qui s'appelle Maurice? Il connaîtrait ma mère.

— Maurice? Il reste tout près de chez nous. Tu l'as rencontré?

— Ouais... Ça fait deux fins de semaine en ligne qu'il arrive chez nous, à l'improviste. La première fois, il me regardait comme si j'étais un voleur ou quelque voyou qui squattait, j'sais pas trop. Quand il a compris que j'étais le fils de Madeleine, il a changé d'attitude, mais il a l'air bizarre... Il me demande des nouvelles de ma mère, si je sais quand elle va revenir. Il a l'air perdu un peu, le bonhomme.

— Ah! Maurice, c'est un personnage. Mais c'est un bon gars. Il s'entend bien avec ta mère. L'année passée, ils ont commencé à aller à la pêche ensemble, dans la Yamaska. Depuis ce printemps, Laurent y va aussi, quand il est dans le coin. On est devenus amis avec le temps. Je pense que Maurice est un peu amoureux de Madeleine.

— Un peu? Il fait obsédé sur les bords!

— Intense, en tout cas! Tu vois, Thomas, Maurice c'est un gars qui a passé sa vie seul, qui n'a jamais eu besoin de personne et qui ne voulait rien savoir de personne non plus! Un jour, ta mère l'a abordé et ils sont devenus amis. Je ne pense pas que ta mère voie autre chose en lui qu'un bon chum, mais lui...

Je ne pensais pas opportun de lui répéter ce que Madeleine m'avait raconté, après leur sortie à la Foire agricole de Saint-Hyacinthe, quelques jours avant le départ de Madeleine pour Roberval. Maurice avait offert à Madeleine de l'initier aux plaisirs du vrai monde rural. Tir de tracteur et de camion, manèges, petit train *Loblaws*, savon de chèvre, fromage en crottes, concours de percherons, épices en vrac, derby de démolition, miel en rayons, exposition de génisses, de taureaux et de verrats au salon des races, produits du terroir, cirque canin, concours de tartes du Cercle de fermières, machinerie agricole, rodéo extrême, concours d'attelages, dégustation d'émeu, de sanglier et d'autruche servis en petits cubes dans un papier à hot-dog: la totale. Madeleine avait beaucoup apprécié le kiosque de dégustation de bière artisanale – une belle brune âcre et pas trop sucrée servie par un beau brun trrrrès charmant, avait-elle dit, roulant ses grands yeux humides. À leur retour, les effets du houblon aidant, Madeleine avait invité Maurice pour la nuit.

— Je ne sais pas ce qui m'a pris. Ben oui, en fait, je le sais. La dernière fois que j'avais baisé, c'était avec un journaliste descendu d'Edmonton pour le congrès du Multimédia à la Place Bonaventure en novembre..., il y a presque trois ans! On avait fait des farces toute la soirée sur l'importance des échanges culturels pour rapprocher nos deux solitudes. On les a rapprochées *all right* ce soir-là. Hummmm... Maudit qu'il était beau, ce gars-là! Et j'ai été agréablement surprise... Un Anglais... J'avais des préjugés, faut croire! Je sais bien que Maurice a rien d'un Adonis, mais, Jeanne, si tu avais vu comment il me regardait toute la soirée. Il voulait me manger tout rond. (Oui, j'imagine très bien... j'avais déjà intercepté son regard sur elle.) Je le trouvais presque beau. Un homme qui te veut à ce point-là, c'est irrésistible, non? Surtout après trois ans d'abstinence, merde! Mettons que la barre est moins haute.

On avait bien ri. Si l'aventure était sans conséquence pour mon amie, j'avais bien peur qu'il en irait tout autrement pour mon voisin: une oasis au milieu du désert. Il n'allait pas vouloir la quitter de sitôt! Mais le coup de fil de Blanche quelques jours plus tard lui avait ravi son point d'eau. Comment expliquer à Thomas cette soif que Madeleine avait laissée derrière elle?

— Il la voit dans sa soupe. Depuis que ta mère est partie à Roberval, il a l'air d'un poisson hors de l'eau. Je ne l'ai jamais vu comme ça, lui si fier et distant autrefois. Dès qu'il me voit, il s'arrête, prétextant n'importe quoi pour tenter de savoir si Madeleine est à la veille de revenir. L'autre jour, je me suis tannée. Je lui ai donné le numéro de téléphone de Madeleine à Roberval. Je lui ai dit de l'appeler parce que mes réponses semblaient le laisser sur sa faim. Je ne peux pas lui dire ce que je ne sais pas. Il fait pitié, le pauvre diable, il a l'air d'un junkie qui a besoin d'un *fix.*

— Est-ce qu'il l'a appelée?

— Aucune idée. En tout cas, Madeleine ne m'en a pas parlé.

— Moi, je pense que je vais dire à ma mère de lui parler parce que j'aime pas ça le voir arriver comme ça à l'improviste chez nous. Il me fait faire le saut à chaque fois. Il est bâti comme un gorille pis silencieux comme un chat. L'autre jour, j'ai vu cette affaire-là de l'autre côté de la porte-moustiquaire. Je me demande combien de temps il serait resté là, sans frapper, si je ne l'avais pas aperçu. Il m'énerve, ce gars-là. Y a quelque chose d'un fou, on dirait.

Je trouvais les propos de Thomas un peu durs, mais je sentais qu'il y avait du vrai dans sa perception. Maurice ne se possédait plus. Lui qui n'avait fait que ça, sa vie durant, il ne contrôlait plus son univers autrement si cartésien. Je pense qu'il avait toujours pressenti qu'il n'était pas fait pour l'amour. Comme l'alcoolique sait qu'il ne peut tremper ses lèvres. Maurice préférait un quotidien tranquille et mesuré parce qu'il connaissait trop bien le besoin qui l'habitait.

Laurent est revenu le mercredi suivant, heureux de retrouver son univers inchangé et, ma foi, plus amoureux que jamais. Je comprends maintenant qu'un cœur qui s'émoustille au loin, sans pour autant perdre le désir de ce qu'il a à la maison, voit sa charge amoureuse se multiplier. Comme s'il était *boosté* aux deux bouts. Il n'avait jamais été aussi présent, aussi colleux et même, oui, j'oserais le dire, aussi cochon que lorsqu'il revenait de ses voyages au magnifique pays des mines. Nous n'avions jamais été séparés aussi souvent, et je mettais sur le dos de ses absences répétées cette nouvelle fougue qui me ravissait.

J'y mettais quand même du mien, il faut le dire. Je m'achetais de petits sous-vêtements dont le prix était inversement proportionnel à la quantité de tissu nécessaire à leur confection. J'avais l'impression d'avoir un nouveau chum. Je me faisais les jambes, les aisselles, la moustache – on ne dit pas la moustache, me disait l'esthéticienne, on dit la lèvre supérieure. Et je l'attendais cœur battant et petite culotte humide avec un bon verre de vin. Les semaines passaient, je travaillais à temps plein en remplacement de Louise, et il faisait ses interminables allers-retours sans maugréer. Je comprends! Si Madeleine l'attendait avec la moitié de mon enthousiasme, il pouvait sourire. Comme Madeleine n'a rien d'une tiède…, j'aime autant éviter d'y penser. Heureux qui comme Laurent a fait de longs voyages, entrecoupés de visites à Pénélope… Pourquoi faire sans quand on peut faire avec?

À ma belle-mère qui me demandait, soucieuse de notre bonheur, si ces absences étaient difficiles, j'avais répondu que c'était au contraire plutôt tonifiant. Épaisse…

Un soir qu'il était de retour depuis plus d'une semaine, il m'annonce que son patron l'envoie visiter les mines en Abitibi, question de voir les possibilités de cette potentielle clientèle. Pour ma part, ça ne change pas grand-chose. Chibougamau. Rouyn-Noranda. Des noms du bout du monde. Mais je vois bien qu'il n'est pas content. Pas content du tout.

Son humeur a changé. Son ardeur amoureuse aussi.

Il est devenu tourmenté. Il s'éclipsait régulièrement pour acheter quelques niaiseries au village. Un gars qui a toujours détesté faire les courses... J'ai compris plus tard qu'il en profitait pour appeler Madeleine avec son cellulaire. Vive la technologie! C'est devenu un jeu d'enfant de mener une double vie. Le courriel, le cellulaire. Échanges rapides, discrets et rassurants d'un bout à l'autre du globe. Sauf que ça laisse des traces, ces petites bêtes-là. Pour peu qu'on cherche. Et il n'y a rien de plus fouineux qu'une conjointe suspicieuse. Laurent et Maxime ont toujours dit que je n'étais pas d'un naturel curieux. Je n'ai jamais ouvert le journal personnel de ma fille qu'elle laisse traîner négligemment sur son lit ou sa commode. Je n'y touche pas. Elle le sait. Maman respecte l'intimité. La blonde méfiante n'en a que foutre.

Laurent adore découvrir de nouveaux endroits et il lève la clientèle potentielle comme le setter de bonne lignée la perdrix: hardiment, avec cœur. Pourtant, Rouyn-Noranda et son cheptel de mines ne semblaient pas rallumer sa flamme de prédateur, au contraire. Il ne me racontait plus les lacs, les forêts, l'accent et les régionalismes qu'il affectionne tout particulièrement. J'étais perplexe. Au retour de son deuxième voyage en Abitibi, il était plus distant que jamais. Je le croyais pensif, il était en manque. Puis, son entrain est revenu. Son patron le renvoyait une semaine à Chibougamau, fermer une grosse vente, disait-il. Ça devait être une très belle vente, en effet. Je retrouvais mon Laurent.

— J'imagine que tu ne pourras pas venir avec moi, avec ta job, pis toute.

Je me demande bien ce qu'il aurait dit si j'avais

78

répondu que, miraculeusement, ma patronne était guérie et de retour! Avoir su, je lui aurais fait la *joke*. Juste pour le voir patiner.

Mais je ne savais pas. Bien sûr, avec le recul, j'aurais dû savoir. Son changement d'humeur avait été tellement drastique, j'aurais dû. On ne s'emballe pas comme ça pour une vente qu'on va clore, c'est clair. Mais il y a de ces choses qu'une blonde ne veut pas savoir. Par exemple, que le cœur de son chum qui l'a aimé intensément et exclusivement pendant plus de seize ans brûle maintenant aussi furieusement pour une autre douce. Le mal peut attendre. On sait bien assez vite.

J'ai su.

CHAPITRE 11

Les rénovations sont finies. Depuis un mois et demi. Après deux semaines, je tournais en rond, perdue dans ma nouvelle solitude domestique. Je suis allée acheter des nouveaux rideaux pour la cuisine et l'entrée, j'ai changé le tapis du salon, j'ai mis mes vieux divans sur le bord du chemin. Une heure après, ils étaient partis – le malheur des uns... – et je les ai remplacés par un ensemble en rotin. J'ai toujours voulu d'un salon à saveur africaine, mais Laurent s'y opposait parce qu'il disait que les meubles en rotin n'étaient généralement pas très confortables. Je faisais valoir leur charme exotique. Nous avions tous les deux raison. J'ai maintenant deux jolies causeuses en rotin. J'adore le look de mon salon. Quand je regarde un film ou que j'écoute de la musique, je m'installe avec des coussins sur le nouveau tapis. Moi qui ai toujours été d'un naturel plutôt économe, j'ai bardé ma carte de crédit et je compte gagner un certain montant à la loterie en vue de tout rembourser. Bientôt.

Je ne me reconnais plus.

J'ai succombé aux charmes du joueur de guitare. Le dernier jour, un vendredi, Maxime était partie pour la soirée chez une copine. Les deux autres menuisiers avaient terminé leur boulot en milieu d'après-midi. Je leur ai offert une bière, on a jasé un peu, et ils sont partis. Patrick – c'est le nom du petit crisse – n'avait pas tout à fait fini sa job. Il a dit aux autres qu'il les reverrait lundi matin à Saint-Jude où les attendait un nouveau contrat. Il lui restait à installer les nouvelles portes de la penderie de l'entrée qu'il avait vernies la veille. Je sortais de la piscine, je me suis changée et j'allais mettre mes maillot et serviette sur la corde à linge.

— Est-ce que tu veux que je te fasse à souper?

J'ai dû mal comprendre. Il a probablement dit quelque chose comme : « Me ferais-tu une tasse de thé? » Tout en accrochant sur la corde mon bas de bikini, je penche la tête dans l'embrasure de la porte, l'air détaché.

— Pardon?

Il est accroupi au pied de la porte qu'il vient d'installer, en train de visser une quelconque patente dans le plancher. Il ne se retourne pas.

— Est-ce que tu veux que je te fasse à souper?

Aucun doute possible. Il a bien dit ça. Ah! voilà! J'ai compris. C'est une farce. Il me teste. Juste pour voir si la matante serait assez nounoune pour s'imaginer que… Ou bien il est cassé et veut se *bummer* un lunch. Les théories se bousculent dans ma tête.

— Ah! c'est une bonne idée. Il me reste du lavage aussi, si ça te tente.

Quand même, j'ai mon orgueil.

Je continue à étendre mes trop peu nombreux morceaux. Je voudrais avoir un panier bien plein de petits bas à accrocher. Je les mettrais en ordre de couleur et de grandeur, deux par deux. Tout sauf le regarder.

— Je niaise pas. Je fais de la bonne bouffe, tu sais.

Regarde. Aucun rapport. Je mangerais du *Kraft Dinner* si tu me le servais tout nu, juste avec ta ceinture de menuisier.

— Ben là... J'sais pas...
— Pourquoi, t'es occupée? T'attends de la visite?

Bien sûr! Pour qui tu me prends! Mon agenda est plein!

— Ben... Je rencontre une chum au *Zaricot* un peu plus tard.

D'où est-ce que j'ai sorti ça? Aucune idée. Mais j'allais quand même pas lui dire que j'avais absolument rien à faire. Un vendredi soir.

— De toute façon, il faut que tu manges; moi aussi. Je fais une bonne *puttanesca*. C'est pas compliqué et ça se laisse manger.

Oh! J'ai failli être vulgaire, là. Tss! tss! tss! Je me suis retenue.

— Une quoi?
— Une *puttanesca*. Ce sont des pâtes avec une sauce aux tomates, de l'ail, des olives noires, des anchois... T'aimes les anchois?

— Oui, oui.

J'aurais préféré me faire arracher la langue que de lui avouer que je retirais tous les anchois de la pizza que je partageais avec Laurent. Des fois que ce serait la seule recette qu'il connaisse. Pas de risque à prendre.

— Bon ben, c'est tiguidou. J'achève ça, là, pis j'm'attelle. Tu vas voir, ça va être bon.

J'ai fait l'inventaire de mon garde-manger, j'avais tout ce qu'il fallait! Même des anchois que Madeleine avait un jour apportés et qu'elle avait renoncé à mettre dans sa salade César quand elle avait vu mon air dégoûté.

Patrick a tout préparé. Il ne voulait même pas que je l'aide à couper les légumes. Il voulait que je lui fasse la causette pendant qu'il *popotait. Ya, right!* J'avais de la misère à aligner deux phrases l'une derrière l'autre. Je me sentais en terrain miné.

Premièrement, jamais un gars dans ma vie ne m'avait préparé un repas : un sandwich de temps en temps ou réchauffer une pizza peut-être, mais un souper, un vrai, jamais! Deuxièmement, je trouvais son sourire de plus en plus troublant. Si l'émotion me coupait le sifflet, lui, il jasait! Un vrai moulin à paroles. Il me racontait ses jobs, comment il avait lâché l'école au beau milieu de son secondaire V pour travailler avec son oncle qui était entrepreneur en construction. Trois ans. Juste le temps de prendre de l'expérience.

— J'étais pus capable de travailler avec lui. J'ai toujours eu des problèmes avec l'autorité. J'ai besoin d'être libre, de faire les choses à ma manière. Si les patrons ont de la misère avec les gars qui ont du caractère, c'est pas mon problème à moi. J'ai toujours trouvé à me replacer. De l'ouvrage, y en a! Ces dernières années dans la construction, c'était malade! Le boss fait des pieds pis des mains pour trouver des sous-contractants. Y a trop de contrats!

Il parlait, parlait, parlait. Je regardais ses mains qui travaillaient. Il taillait les anchois et l'ail. J'étais allée chercher du persil et du basilic dans le jardin. Il les taillait avec des ciseaux, directement au-dessus de la casserole. Je l'écoutais, et la tête me tournait un peu. Le vin sans doute. Il avait fait très chaud ce jour-là, et je n'avais à peu près rien mangé. Je sentais l'odeur de l'ail, de l'huile d'olive et des tomates. Je regardais son visage penché sur la planche de bois où il détachait le noyau des olives, une peau toute jeune, pas une torrieux de ride, ah oui, peut-être une là, toute petite entre les deux yeux. Mon Dieu, pincez-moi quelqu'un. Je rêve.

Le CD de Crosby, Still, Nash & Young venait de se terminer. Je me suis levée. Fallait que je m'occupe un peu. J'ai mis du Arcade Fire, histoire de lui montrer que je n'étais pas si vieille que ça… Après deux ou trois *tounes*, il m'a demandé si ça me dérangeait qu'il mette mon CD live de Leonard Cohen, celui qu'il avait déjà entendu plusieurs fois en travaillant. Après un mois dans mon intimité, les ouvriers connaissaient mon répertoire.

Était-ce un hasard, Leonard chantait *I'm Your Man*, et Patrick l'accompagnait, versant les pâtes dans la passoire, un petit sourire sur les lèvres. Je l'aurais mordu. Il a la lèvre un peu gourmande, l'ai-je dit?

Le souper a été divin. J'aime ça, les anchois, finalement. Patrick trouvait que je ne mangeais pas beaucoup quand même. Comment lui expliquer que mes organes habituellement affectés à la digestion semblaient bizarrement secoués? Le tumulte d'un cœur qui bat trop vite sans doute. Je me demandais où ça s'en allait tout ça et je n'étais pas certaine de vouloir le savoir.

Il est parti tôt. Je devais aller rejoindre une amie au *Zaricot* et il ne l'avait pas oublié. Sur le seuil de la porte, il a passé sa main derrière ma tête et m'a embrassée. Sans hésitation. Un beau baiser, à pleine bouche. Juste assez long pour ne laisser aucun doute. Il a souri, a dit « Salut » et il est parti. Je suis restée accotée sur le chambranle de la porte à regarder sa vieille Civic noire disparaître dans la brunante.

Je viens de vivre le mystère de la transsubstantiation. Saviez-vous qu'on peut, l'espace d'un souper, transformer une bonne femme mature de quarante-huit ans en nounoune de quatorze ans? Que le muscle cardiaque se remet à palpiter comme celui d'un oisillon tombé du nid? Que les parties féminines devenues, on l'aurait cru, assez flegmatiques, se transforment l'espace d'un baiser en un fruit moite et pulpeux, doté, semble-t-il, de pulsations autonomes? Que me dites-vous, docteur? Qu'à l'approche de la ménopause, la femme normalement constituée connaît un assèchement de la région vulvaire qui peut rendre difficiles, voire douloureuses, les relations sexuelles?

J'ai une toute nouvelle hypothèse là-dessus. Ce n'est pas l'âge, docteur, qui assèche le puits des femmes, mais l'ennui. J'en veux pour preuve les bobettes que je portais ce soir-là.

CHAPITRE 12

Quand Laurent est revenu de Chibougamau, juste avant les fêtes, je n'étais plus la frémissante fiancée qu'il avait connue au cours des derniers mois. Un tourment lancinant avait pris toute la place dans mon ventre. Ce que je ne voulais pas voir me sautait aux yeux. Les séjours en terre abitibienne entrecoupés de sessions conjugales forcées avaient dû exacerber la passion des amants. De retour d'une semaine de retrouvailles que j'imaginais torrides, les yeux de Laurent me criaient d'arrêter de l'aimer pour qu'il puisse se laisser aller à son grand bonheur sans me faire de mal.

Madeleine et Laurent avaient conclu à la nécessité du grand ménage. Finis les mensonges et les esquives, la vie est trop courte, paraît-il. Ils s'étaient entendus pour laisser passer les fêtes. On ne laisse pas sa blonde à Noël, ça ne se fait pas. Sauf que le jour de l'An étant ce qu'il est, quand j'ai vu mon chum aller chercher « quelque chose » dans son auto sept minutes exactement après m'avoir serrée très fort dans ses bras en me murmurant: « Je te souhaite une bonne année, Jeanne, t'es tellement une bonne personne, je t'aime beaucoup, je te souhaite tout le bonheur que tu mérites », fallait pas être devin.

Un an auparavant, il me tenait dans ses bras et me regardait comme si la terre entière n'avait pas assez d'espace pour y loger l'amour qu'il avait pour moi. Sans doute m'embrassait-il alors avec plus de tendresse que de passion, son regard exprimant un mélange de reconnaissance et de satisfaction. Je ressentais le même élan d'affection qui tient plus du culte et de l'attachement que du désir. Mais ce cocktail de tendre amour peut nourrir un couple très longtemps. Toute une vie pour certains.

L'engouement d'une nouvelle liaison amoureuse, qui n'avait rien d'un coup de foudre et qui s'était bâti au fil d'évènements favorisant la profondeur des sentiments, avait permis à Laurent de mettre son bonheur conjugal en perspective. Je ne faisais plus le poids. Sept minutes qu'il avait tenu avant de succomber au désir lancinant d'entendre la voix qui l'embrase. Mon cœur était en charpie. Laurent n'est pas très doué pour le calcul et l'intrigue. Quand il est revenu, il avait beau me tourner le dos, prendre beaucoup plus de temps qu'à l'ordinaire pour suspendre son manteau à la patère du vestibule, retirer ses bottes une à une et les déposer proprement sur le couvre-plancher de plastique vert, il ne pouvait empêcher les ondes de bonheur et d'amour qu'il dégageait de me souffler comme une chandelle.

Je me suis enfuie dans la salle de bain pour cacher l'angoisse qui soudain étreignait ma poitrine et me faisait chanceler. J'ai attendu quelques minutes, tenté de me convaincre que je n'avais aucune preuve, que je confondais intuition et peurs de bonne femme. J'entendais ma mère : «Y a rien de pire que de ne pas savoir.»

Lorsque j'ai entendu Laurent monter à l'étage, je

suis sortie prendre son cellulaire qu'il avait laissé sur le bord de la fenêtre, là où il laisse traîner ses comptes, ses clés et ses cartes de visite. Je suis revenue à la salle de bain et j'ai pressé sur le bouton « liste des appels ». Mon cœur battait si fort, j'avais peur qu'on l'entende. J'ai fermé les yeux quelques secondes et les ai ouverts. Madeleine. 00 h 09.

J'ai déposé le cellulaire sur le bord du lavabo, me suis approchée de la cuvette et j'ai tout vomi : la salade de chèvre chaud, le tartare de saumon, le muscadet, la crème brûlée, les bons vœux de Laurent, le souvenir de Madeleine.

J'entendais Maxime qui frappait à la porte.

— Ça va, maman? Est-ce que t'es malade?
— ...
— Maman? Es-tu correcte?

Devant mon silence, sa voix devenait plus inquiète. Je m'étais étendue par terre. Je regardais le globe du luminaire mural par en dessous. Il était encore plein de mouches de l'été dernier. J'espérais que la froideur de la céramique calmerait un peu le feu dans ma tête. Maxime, qui venait d'ouvrir la porte à l'aide d'un cure-dent, se précipitait vers moi, bouleversée.

— Maman, qu'est-ce que t'as? T'es malade? Papa! Maman est malade!

Laurent, descendu en catastrophe, se tenait dans l'embrasure de la porte. Son regard allait de l'immense cellulaire qui couvrait maintenant tout le comptoir de la salle de bain à ma petite personne, recroquevillée sur le sol, ratatinée comme une merde de chien restée trop longtemps au soleil. Il s'est accoté la tête sur son bras replié sur le cadre de la porte.

— Excuse-moi, Jeanne. Je ne voulais pas te faire de mal. Je ne voulais vraiment pas.

Ma mère avait tout faux. Oui, il y a quelque chose de pire que de ne pas savoir. Le pire, c'est de savoir et de ne pouvoir rien faire. Ça, je dirais, c'est pas mal le summum de la déconfiture. J'avais l'impression d'être toute nue. Une petite crotte toute nue au soleil, qui vire au blanc.

J'ai passé les premières semaines de janvier dans un état second. Ça fait cliché de dire que j'espérais me réveiller de cet affreux cauchemar, mais c'est exactement ce qui m'arrivait. Chaque matin me trouvait plus abattue devant cette réalité qui me collait à la peau comme de l'anti-bibittes.

Au cours des mois qui ont suivi, je me suis quand même rendu compte que quelqu'un l'avait encore plus *rough* que moi.

Quelques semaines auparavant, entre Noël et le jour de l'An, Maurice était venu souper à la maison un soir. Il parlait d'aller voir Madeleine à Roberval. Il disait avoir à faire à Québec de toute manière.

— Rendu là…

Il parlait avec assurance, comme si lui et Madeleine, ensemble, c'était tout vu. J'avais été surprise de son audace et j'allais l'encourager en me disant «Ça passe

90

ou ça casse, au moins il va savoir à quoi s'en tenir après»,
et comme j'avais des doutes croissants du côté de mon
propre chum, je voulais croire au couple qui avait pris
forme dans la tête de Maurice.

Laurent est intervenu, lui disant qu'il devait peut-
être vérifier auprès de Madeleine avant de faire la
traversée du Parc puisqu'elle devait passer les fêtes
avec Blanche et Pierre-Paul. Il ajouta que Madeleine
pensait revenir bientôt, qu'elle avait des choses à régler
dans le coin de toute façon. Je me rappelle avoir été
étonnée qu'il ne m'en ait rien dit. Mais Laurent savait
que Maurice frapperait un nœud à Roberval. Il savait
aussi que la perspective d'affronter la famille allait avoir
raison des velléités de Maurice. Laurent n'a rien d'un
amant jaloux. Il tentait seulement de protéger Maurice.
Mais personne ne pouvait plus le protéger.

Maurice abdiqua. De toute manière, comme il n'est
pas du type *party animal*, les réunions de famille à Noël,
ce n'est pas sa tasse de thé. Il attendrait le retour de
Madeleine. Pas de problème. Sa détermination n'avait
pas faibli, malgré les mois d'éloignement qui avaient
suivi l'unique nuit d'amour qui l'avait livré, pieds et
poings liés, à son obnubilation. Comment avait-il pu
vivre sans, avant..., il ne se rappelait plus. J'imagine
fort bien que l'anticipation devait meubler ses journées
d'attente.

Après les fêtes, Laurent s'est occupé de vendre la
maison de Madeleine au village. «Pas de pancarte»,
avait dit Madeleine. L'agent immobilier qui lui avait
vendu la maison s'arrangerait autrement. Elle voulait
se rapprocher de Thomas, disait Laurent. Je savais
que sa décision de partir n'avait rien à voir avec son

garçon. Je sais comment Madeleine pense. Elle voulait nous éviter des rencontres embarrassantes. Je dois admettre que j'étais plutôt d'accord. Je ne tenais pas du tout à voir le nouveau couple graviter autour de mon orbite. Mais la nouvelle était brutale, l'imminence du déménagement ne faisant que souligner l'irrévocabilité de leur décision.

Madeleine est revenue au cours de la première semaine de février. La maison s'était vendue en moins d'un mois. Laurent était content même s'il faisait tout pour ne pas le laisser voir. Il aidait Madeleine à empaqueter, et j'avais du mal à ne pas les imaginer copulant sans retenue au milieu des boîtes de carton, dans les escaliers empoussiérés, accotés sur le comptoir de la cuisine à côté du ruban adhésif et du feutre noir.

Maurice s'est présenté chez elle un matin, le cœur battant, quelques jours après son arrivée. Les nouvelles vont vite à la campagne. Madeleine lui a offert un café qu'il a refusé. Il avait attendu presque six mois le retour de sa belle, il avait atteint le seuil de tolérance qu'un amant transi peut supporter. Il la voulait, elle. Pas de succédané ni de faux-fuyant. On a du temps à rattraper, *fuck* le niaisage. C'est mon interprétation. Alors que Madeleine se retournait vers le comptoir afin de préparer un café dont personne ne voudrait, mais qui aurait le mérite de lui permettre de reprendre son aplomb, de réfléchir à ce qu'elle devait dire, Maurice la saisit par les épaules et la retourna vers lui. L'insoutenable désir qu'il avait retenu tout ce temps lui sortait de partout. Madeleine tentait de le repousser, le plus doucement possible. Maurice insistait, ne comprenant pas le gouffre qui les séparait. Laurent, qui avait entendu du bruit, descendit du grenier. Il aperçut

92

Maurice de dos qui tenait Madeleine tout contre lui, la tête enfouie dans ses cheveux, les respirant comme s'il avait manqué d'air. Madeleine semblait pétrifiée. Elle regardait Laurent, l'air paniqué.

— Ah! c'est toi, Maurice. Comment ça va?

Dans sa surprise, Maurice, qui croyait Madeleine seule, desserra son étreinte et grommela une manière de bonjour. Madeleine en profita pour se dégager, se retourna vers le comptoir et se remit à compter ses cuillerées avec toute l'attention nécessaire. Laurent prendrait les choses en main.

— J'aide Madeleine à faire ses boîtes, elle a vendu la fermette, elle déménage dans sa maison du Vieux-Longueuil, avec son fils.

Trois sujets, trois verbes et trois compléments. Une très longue phrase, précise et bien ciselée, qui sent l'excuse planifiée. Qu'est-ce qu'on lui dit? On lui dit ça.

Pour un être qui a passé plus de temps en compagnie des porcs que de ses frères humains, Maurice peut faire preuve d'une grande perspicacité. Ou serait-ce de l'instinct?

— Pis toi, Laurent…, tu déménages-tu?

Celle-là, Laurent ne l'avait pas prévue à son plan de match. Le court laps de temps où il est resté sans réponse a suffi à Maurice pour comprendre qu'il avait frappé dans le mille. Son regard allait de Laurent à Madeleine, oscillant entre la colère et la douleur. Madeleine tenait son pot de café à deux mains comme si sa vie en dépendait. Elle cherchait les mots qui apaisent. Dans ces cas-là, on dit que le premier qui parle perd.

— On n'a jamais voulu te faire de mal, Maurice. Ni à toi ni à Jeanne. Y avait rien de planifié. C'est arrivé comme ça. On ne voulait blesser personne.

— Tu voulais blesser personne, mon chien sale! Ça fait combien de temps que ça dure, vous deux? Moi, ça fait six mois que j'attends. Ça fait six mois que tu me laisses poireauter comme un imbécile. Dans toutes tes osties d'histoires de rénovations pis de visites à tes osties d'mines, t'aurais jamais trouvé le tour pour me prévenir un peu? T'es rien qu'un ostie de lâche...

Madeleine, qui avait déposé son pot sur la table de cuisine, s'approchait de Maurice. Elle posa la main sur son épaule.

— Maurice... Ça n'a jamais été simple...

Son geste qui se voulait lénifiant eut l'effet contraire. Maurice la repoussa brutalement, une fois, deux fois, jusqu'à ce qu'elle ne puisse plus reculer à cause du comptoir.

— Toé... touche-moi pas. Touche-moi pus jamais! T'es sale! Mes truies sont plus propres que toi! T'es contente, ostie! Tu voulais me mettre à terre? Ben, j'peux pas aller plus bas que ça!

Laurent, qui s'était avancé dès qu'il avait vu Maurice repousser Madeleine, le poussa à son tour.

— Ça va faire, Maurice Dubreuil! Calme tes nerfs, là, t'as pas d'affaires à la traiter comme ça.

Je ne suis pas certaine que Laurent eut la moindre idée de ce qui lui arrivait. Maurice lui a descendu un coup de poing sur le nez, modifiant à jamais son profil auparavant plutôt avantageux. Du coup, Laurent s'est effondré. Madeleine, d'ordinaire si modérée, mais sans doute exacerbée par les récents évènements, s'est mise à hurler, alertant, malgré les fenêtres closes, les paroissiens qui passaient au même moment devant sa maison en une longue procession recueillie.

Tout le village assistait aux funérailles de feu Charles Ladouceur, qui avait été maire de Saint-Eugène durant près de vingt-cinq ans. Un maire aimé et respecté, si on en juge par la durée de son mandat et le nombre de ses concitoyens qui s'étaient déplacés pour lui rendre leurs derniers hommages. La petite maison rose et blanche, située à quelques pas de chez Madeleine, abritait le salon funéraire du village. On avait eu du mal à orchestrer la longue file des gens venus transmettre leurs condoléances aux membres de la famille immédiate qui se tenaient debout, à droite du cercueil, dans la seule et unique pièce destinée à cet effet. L'interminable chapelet de pèlerins ressemblait à un long serpent dont seules la tête et la queue paraissaient de la rue. Une petite pluie froide tombait sans pitié, alourdissant la peine des premiers venus qui attendaient maintenant devant le bâtiment, en un regroupement grossissant sans cesse, la sortie du cercueil pour le cortège rituel vers l'église située de l'autre côté de la rue.

En principe, au moment où le cortège s'ébranle, le carillon enregistré de l'église sonne le glas, rythmant le pas des croque-morts et de l'assistance qui suivent à pied le corbillard franchissant lentement les cinq cents mètres entre le salon mortuaire et l'église. Tous les badauds qui manquent à leur devoir sont à leur fenêtre dès qu'ils entendent le timbre funèbre. En principe.

Les voies du Seigneur sont insondables, dit-on. La veille, le curé n'avait pu faire ses ablutions vespérales, les robinets de la salle de bain ne crachant plus que quelques gouttes d'un liquide peu invitant. Il avait tout de suite appelé Jacques Robidoux, le plombier du village qui, bas de laine aux pieds reposant sur le tabouret recouvert d'un pouf en macramé, regardait *L'Auberge du chien noir* avec sa femme. Croyant dévoué et pratiquant, Jacques Robidoux n'avait pas hésité à interrompre son téléroman préféré afin de venir en aide à son pasteur. Il s'était vite rendu compte que le problème d'approvisionnement en eau commandait une intervention plus musclée.

— C'est pas dans vos *pipes*, m'sieur l'curé, entécas pas en d'dans, c'est d'wouar. La municipalité, y ont creusé hier dans ce coin-cit' pour une *pipe* à égouts qu'y avait pété en face de chez Desrochers. M'a appeler Ti-Jean Daviau, c'est lui qu'y a creusé, p'têt ben qu'y a fait du dommage a'ec sa pépine...

Le lendemain matin, Ti-Jean Daviau avait remis ça avec sa rétrocaveuse, mettant au jour un tuyau de l'aqueduc endommagé par inadvertance et privant le presbytère de son approvisionnement. Le tuyau en question s'étant à son tour révélé dans un état de vétusté inacceptable, Ti-Jean Daviau avait dû creuser de part et d'autre du sinistre, sur plus de dix mètres. Un malheur n'arrivant jamais seul, il avait croisé le réseau souterrain d'Hydro-Québec et ainsi sectionné le câble électrique desservant l'église, le presbytère et l'école qui, par bonheur, était fermée, puisqu'on était le samedi.

Or, les cloches de l'église ont été remplacées par un enregistrement sonore, je l'ai déjà dit. Enregistrement qui, vous me voyez venir, fonctionne à l'électricité.

C'est donc un cortège parfaitement silencieux qui déambulait lentement devant la maison de Madeleine en ce pluvieux matin de février. Lorsque furent poussés les hurlements, ceux qui passaient tout près se sont immobilisés un instant. Robert Simoneau, le chef pompier, habitué à réagir promptement, était du groupe. En quelques secondes, il était à la porte d'entrée; il frappa quelques petits coups rapides par convenance et s'élança ensuite sans attendre, la porte n'étant pas verrouillée.

La vie privée dans un village, ça n'existe pas. C'est une réalité qui génère le meilleur et le pire à la fois : une entraide fraternelle spontanée d'une part, une fréquente ingérence de la communauté dans la vie quotidienne des gens de l'autre. Toute la population de Saint-Eugène soupçonnait, à défaut de le connaître, le drame amoureux qui minait notre quatuor. Quand Simoneau arriva en trombe dans la cuisine de Madeleine, suivi de près par Mathias Coulombe, son premier lieutenant, il comprit au premier coup d'œil.

Toute sa vie, Maurice avait été un homme peu fréquenté, dont on disait qu'il était solitaire par choix – il n'avait jamais voulu d'une femme qui vienne *runner* sa vie –, vaillant à l'ouvrage et doué en affaires puisque sa maison était « claire », son entreprise peu hypothéquée et qu'il payait cash son compte de taxes foncières municipales dès les premiers jours de février, méprisant les versements échelonnés. Les femmes le regardaient de loin, avec curiosité. Les hommes ne pouvaient s'empêcher de ressentir de l'admiration pour cet homme qui réussissait si bien et qui pouvait se passer d'une épouse.

Simoneau tenta de faire sortir Maurice, le prenant par les bras et lui parlant d'une voix qui se voulait apaisante. Le chef pompier est une pièce d'homme, d'ordinaire plutôt arrogant et fier de sa personne, qui peut aisément faire vibrer la fibre batailleuse des autres mâles alpha qu'il croise. Maurice ne fait pas exception. Enfin un adversaire de taille sur qui il pourrait laisser déferler toute la frustration qu'il avait accumulée au cours des derniers mois.

— Ostie d'Simoneau en marde, de quoi tu te mêles, mon gros torrieux...

Ce disant, il se rua sur le chef pompier, tentant de le prendre à bras-le-corps pour le jeter par terre. Mathias Coulombe, qui était resté un moment interdit, se précipita sur Maurice, empoignant son bras droit qu'il tordit dans son dos et l'obligeant à lâcher prise. En un bond, Simoneau était debout, rouge de colère. Il saisit l'autre bras de Maurice et c'est dans un même élan que les deux hommes le poussèrent jusqu'à la porte laissée entrouverte. C'est à plat ventre que Maurice descendit les quatre marches du balcon avant de la maison de Madeleine, atterrissant sans grâce, face contre terre, sur le trottoir trempé qui menait à la rue où se tenait, figée, une bonne partie de la population de Saint-Eugène.

Maurice eut un hoquet que les badauds aux premières loges entendirent, interloqués. Il venait de penser qu'il s'était trompé tout à l'heure. Qui l'aurait cru! Il pouvait descendre plus bas! Dans tous les sens du mot!

Devant ses pairs déconcertés qui commençaient à murmurer, effondré dans sa peine et son humiliation, Maurice Dubreuil riait.

CHAPITRE 13

Je vais tenter de récapituler. D'abord, sachez que le joueur de guitare est *out*. Non sans m'avoir fait passer des moments merveilleux de parfaite insouciance, je dois bien l'admettre. Il y a quelque chose à dire en faveur de la vigueur juvénile.

Quelques semaines après le fameux souper, je l'ai revu. Je l'ai croisé au *Marché-centre* de Saint-Hyacinthe où j'étais arrêtée « deux minutes » afin d'acheter baguette, fromage et pâté pour un lunch pas compliqué. Évidemment, j'étais arrangée comme la chienne à Jacques, pas maquillée, les cheveux en bataille. Ça devait être un bref aller-retour : prendre Maxime à son cours de chant, ramasser quelques trucs à manger et un film pour une soirée collée-collée avec ma fille devant un *chick-flick* sans prétention.

Pendant que Maxime m'attend dans l'auto, je pointe du doigt à la jolie vendeuse de fromage un camembert qui s'abandonne. Si je portais la coiffe qu'elle a sur la tête et l'espèce de tablier peu flatteur qui camoufle son corps de nymphe, j'aurais l'air d'un saucisson. Elle a l'air d'un ange. C'est à ça que je pense lorsque j'entends une voix d'homme qui souffle dans mon oreille : « Miam

miam… C'est appétissant, ça… » Un instant, je me suis demandé s'il parlait de la vendeuse. Je me tourne vers le petit comique : c'est Patrick. Il semble très fier de me surprendre.

— Tu ne m'as pas vu tantôt? J'étais dans la même file que toi pour m'acheter une baguette à la *Boulangerie des Princes.*

Je ne peux m'empêcher de garder la tête un peu baissée, faisant mine de chercher un autre fromage. C'est pas le temps, là! J'ai l'air du *yable!* J'ai les mêmes vêtements que j'avais il y a une heure à quatre pattes à laver mon bol de toilette.

— Ben non, j't'avais pas vu. Je suis un peu pressée, ma fille m'attend dans l'auto. Je suis juste venue chercher quelques petites choses.

Il n'a pas l'air de remarquer mon manque d'empressement à le regarder.

— J'aurais aimé ça t'appeler, mais je me suis rendu compte que je n'avais pas ton numéro. Je voulais avoir de tes nouvelles.
— Ça va bien. Toi?

La Juliette Binoche derrière l'étal dépose le camembert bien emballé sur le comptoir.

— Autre chose avec ça?
— Oui. Un morceau de morbier, s'il vous plaît.

Je profite de l'occasion qui m'est donnée pour me concentrer sur le morceau de fromage zébré au milieu qu'elle tend vers moi de ses doigts de pianiste. À l'aide du pouce et de l'index, je montre la taille du fromage à couper. Malgré le fait que je lui tourne résolument le dos, je sens la présence de Patrick très près, trop près, et je sens surtout les battements effrénés de mon cœur qu'on doit entendre jusqu'à *La Demi-Calorie*, la petite pâtisserie située à l'autre bout du marché. Malgré mon entêtement à lui tourner le dos, le prédateur reste là. Ça doit être à cause de Juliette…

— Tiens, tu m'appelleras. Megan Lane joue demain soir au *Zaricot*. C'est une super chanteuse de blues, la connais-tu? Le *Zaricot*, t'aimes ça, cette place-là! Si ça te tente, je passerai te prendre en fin d'après-midi, on mange et on va la voir après…

Pendant que je commandais mon fromage, il avait gribouillé, apparemment peu ébranlé par mon attitude, son numéro de téléphone sur un bout de papier.

— Appelle-moi!

Il s'éloigne ensuite, après un petit clin d'œil qui m'eût d'ordinaire horripilée. Mais je sens encore la pression de ses doigts sur mon aine droite, lorsqu'il a glissé dans la poche de mon pantalon le bout de papier sur lequel il avait inscrit son numéro. Quand il disparaît dans la foule, je pose mon front un instant sur la vitrine froide des fromages, les yeux fermés. Et je pense deux choses : de un, oufffff, il ne m'a pas vue comme il faut, et de deux, il me semble que sa main s'est attardée quelques instants.

Quand je rejoins Maxime dans l'auto, elle remarque tout de suite mon trouble.

— Qu'est-ce que t'as? Tu es toute rouge.

— J'ai rencontré Patrick. Il m'a invitée à aller voir une fille, là… Une chanteuse…, au *Zaricot* demain soir.

— Pis? Qu'est-ce que tu lui as dit?

— Rien.

— Comment ça, rien? T'as rien dit!?

Elle me regarde, le coin de la lèvre supérieure un peu retroussé, comme si elle ne pouvait avoir bien compris.

— Ben non, j'ai rien dit. J'ai pas eu le temps. J'achetais des fromages, il m'a laissé son numéro de téléphone pour que je l'appelle demain si ça me tente.

— Ben là! Pour une fois qu'un gars te demande pour sortir, tu vas pas refuser!

Y a des moments dans la vie où la cruauté inconsciente des jeunes me laisse pantoise. Je me rappelle quand Maxime avait environ cinq ans. Elle avait invité une petite amie de la maternelle à jouer à la maison un samedi après-midi. Et comme je leur débarbouillais le visage, après qu'elles eurent toutes deux terminé un fudge dégoulinant, la petite amie me demande comment cela se fait que j'aie une moustache.

— Je pensais qu'il y avait juste les papas qui avaient des moustaches.

Et tout ça est dit avec une insupportable candeur. Comme si elle m'avait dit que j'avais une jolie robe. Devant mon air soudainement attristé que je n'ai pas eu le temps de camoufler, elle me porte le coup de grâce.

— Mais c'est beau une moustache! Ça te fait bien!

Je ne sais pas ce qui m'a le plus rentré dedans. La découverte du malheureux duvet manifestement plus apparent que je ne le pensais ou la pitié que je lui inspirais de manière si spontanée.

Bref, soufflée par la dernière réflexion de ma fille, je suis restée quelques secondes sans voix. Je pousse un soupir qui en dit long. Je suis tannée. Tannée de chercher à me replacer sur l'échiquier de la vie, en tentant d'éviter les pièges. Je ne veux pas jouer à la jeune et je tremble juste à me rappeler ce que la présence de Patrick m'inspire. Je n'ai pas encore l'âge des bingos et des promenades au centre commercial, et le regard des hommes plus vieux que moi me laisse indifférente. Je suis tannée. Tannée du regard impitoyable de Maxime que je ne voudrais pourtant pas autrement. Elle pose une main sur mon bras qui repose sur le volant. Je n'ai pas bougé. Elle voit bien que le dernier coup a porté.

— Je m'excuse, maman. C'est pas ça que je voulais dire. Papa et toi, c'est fini depuis bientôt deux ans. T'es belle. T'es en forme. Faut que tu sortes, que tu t'amuses un peu plus. Tu m'avais dit que t'avais passé une super belle soirée quand il est venu souper. Profites-en un peu.
— Maxime… Il a au moins vingt ans de moins que moi, ce gars-là…
— Pis! Ça a pas l'air de l'énerver, lui! Il ne t'a pas demandé de le marier, il t'invite à aller voir un show! De toute façon, moi, demain soir je m'en vais voir un film avec Marie-Ève et je couche chez elle après. C'est ça ou bien tu passes la soirée toute seule à la maison à te trouver nounoune de ne pas avoir accepté. Yé!

Vu sous cet angle, il n'y avait vraiment aucune raison

de refuser. Je n'allais pas lui expliquer la marmelade que la proximité de Patrick générait dans mes entrailles et l'arythmie cardiaque que son dernier baiser, pourtant assez chaste, avait provoquée. Dix minutes plus tard, je sentais toujours la pression de ses doigts dans la poche de mon jeans.

Je suis allée au *Zaricot*. Avec Patrick. C'était magique. On avait fumé un petit joint avant d'entrer. La voix et la musique de Megan Lane étaient envoûtantes. Bon, bien sûr, la jambe de Patrick qui était résolument accotée sur la mienne aussi, et son bras et son coude…, tout ça y était sans doute pour quelque chose. Je frémis à l'idée que j'aurais pu passer à côté de tels moments. Pour se faire entendre, il devait toujours se pencher un peu plus vers moi. Il passait son bras derrière mon dos, sa main sur mon épaule, et me tenait tout contre lui, me parlant à l'oreille. J'en avais mal au ventre. Le plus dur dans ces moments-là, c'est de rester entière; j'avais l'impression que d'un instant à l'autre j'allais me liquéfier. Il serait bien surpris de retrouver une toute petite flaque sur ma chaise.

Quand on est sortis du bar, un peu passé une heure du matin, il s'est arrêté tout sec et me regardait sans rien dire, son petit sourire aux lèvres. Deux secondes et c'était déjà beaucoup trop intimidant.

— Qu'est-ce qu'il y a? Qu'est-ce que tu regardes?
— Toi, Jeanne. C'est toi que je regarde.

Avec le recul, je suis certaine que le petit crisse avait vu *Le Dernier des Mohicans* et qu'il essayait sur moi l'impayable réplique de Daniel Day-Lewis. Mais sur le coup, il m'a eue. D'aplomb. Ça devait être écrit sur mon front «À prendre immédiatement, conserver au réfrigérateur – date d'expiration : hier».

Nous sommes revenus à la maison. Il conduisait de la main gauche, l'autre main posée sur ma cuisse gauche. Je jacassais comme une oie, sans doute pour dissimuler l'incendie qui se propageait en moi. La même main qui faisait des arpèges sur ma guitare. «Toutes les filles tombent pour le joueur de guitare.» Je pouvais bien être la deux millième, je m'en foutais. Non, je ne m'en foutais pas, je n'y pensais même pas. Je n'y pouvais plus rien.

À la maison, nous ne nous sommes jamais rendus plus loin que le tapis du salon, où nous avons fini par dormir enroulés dans les couvertures. *Il* a dormi, devrais-je dire. Je ne suis pas certaine qu'on puisse appeler sommeil l'espèce d'état d'assoupissement intermittent dans lequel j'ai flotté alors que le ciel blêmissait déjà doucement quelque part vers l'est. Bienheureuse jeunesse ou bienheureuse masculinité, qui porte généralement peu au questionnement excessif. Il dormait paisiblement, parfaitement étanche à mes états d'âme.

Quand il est tombé endormi, j'avais la tête appuyée sur son épaule et je me demandais combien de temps il pourrait tenir ainsi, couché sur le dos, son bras passé autour de mes épaules, sa tête posée à même le sol, sans oreiller. Pfff… Il n'a pas bronché d'un poil jusqu'au matin. Ni quand je me suis tout doucement extirpée de son étreinte parce que j'avais une crampe dans le cou, ni quand je l'ai gentiment poussé pour faire cesser ses ronflements, ni les trois ou quatre fois que je me suis levée pour une raison ou pour une autre, notamment dans l'espoir de le réveiller un peu. Coma profond, la bouche entrouverte. Tout pour plaire.

Nous avons passé la matinée ensemble et avons baisé comme des castors sur le bord de la piscine. Que Dieu bénisse le maïs à vaches dont la hauteur et la densité en septembre protègent des regards indiscrets. J'ai eu mon premier orgasme depuis des mois – avec un partenaire s'entend – et j'ai cru enfin reconnaître en moi l'ombre d'un détachement qui n'était pas sans me rappeler la torpeur bénie que Patrick avait connue la nuit précédente. J'en conclus que ce n'est ni une question d'âge ni une question de genre, mais bien une résultante de la satisfaction. Soudain, mes états d'âme de la nuit me semblaient bien futiles.

Nous nous sommes «fréquentés» – ou comment en un mot trahir son âge – durant près de deux mois. Curieusement, jamais il n'a semblé réaliser que nous appartenions à deux générations différentes. Rien à dire côté sexe, sinon qu'on gagne à connaître son homme et vice-versa. Bref, notre croissante complicité charnelle, sa vigueur et son appétit ont eu l'heur d'attiser en moi la flamme érotique. J'aimerais saisir l'occasion qui m'est présentée pour remercier les stylistes, modistes et autres créateurs de ce monde qui conçoivent avec beaucoup de talent des dessous magnifiques capables de si bien faire pigeonner le galbe généreux du sein plutôt mûr. À vieille mule, frein doré. Je ne m'en suis pas privée.

Toutefois, l'intérêt que je portais à mon étalon allait décroissant. Sur la vague de nos ébats amoureux, je feignais de ne pas reconnaître en moi les premiers signes avant-coureurs de la débâcle. Il commençait à me taper sur les nerfs. À table d'abord. Sa façon de manger goulûment – ce qui au départ m'avait semblé un signe de volupté – me coupait désormais l'appétit. L'habitude qu'il avait de conduire en ville, toutes fenêtres baissées, la musique à plein volume – ce qui aux premiers jours me faisait sourire – me paraissait maintenant puéril et déplacé. Il n'était plus insouciant, il était écervelé. Il n'était plus stoïque, il était insensible. Il n'était plus fonceur, il était arrogant. Ses clins d'œil m'irritaient au plus haut point, et sa jeunesse ne pouvait plus excuser son manque flagrant de culture.

— Comment ça, George Bush père?
— Ben oui! Le père de George Bush! Président des États-Unis à la fin des années 80, la guerre du Golfe, le Koweït?...
— Ah...

Pas facile. Pas facile d'ignorer l'ineptie d'un regard. Pas facile de justifier le manque total d'intérêt envers l'incontournable. Pas facile d'accepter l'inconscience, tout particulièrement quand ma propre fille, de dix ans sa cadette, partage mon inconfort.

— Il connaissait pas George Bush père!? C'est un con, ou quoi?

L'esprit critique de Maxime déborde le cadre de la chose politique.

— Lâche-moi ça, ce gars-là! Tu parles d'un épais! Sais-tu qu'il ne connaît même pas Jacques Brel? Maudite marde! Tout le monde connaît Jacques Brel!

Ou comment en quelques instants dissiper mes hésitations. Ce fut bon. Ça ne l'est plus. On passe à autre chose.

Je m'étais creusé la cervelle pour pondre une façon

convenable d'informer Patrick de la fin de notre « relation ». Je suis allée déjeuner avec lui à la *Brûlerie Mondor*. Tout le monde sait que les séparations risquent d'être moins éprouvantes dans un endroit public. Il n'a même pas bronché.

— C'est cool. Y a rien là. On a eu du fun ensemble. Je comprends que tu serais mieux avec un gars de ton âge. On est pas pires amis.

Bon. Je résume en une phrase ce qui s'est passé en une heure, mais, grosso modo, telle fut sa réaction. Ou son absence de.

Je ne sais pas. Il me semble qu'un minimum d'air chagrin m'eût permis une sortie plus honorable. À croire que je ne l'avais battu que de quelques jours. Je marchais vers mon véhicule stationné près du *Marché-centre* en ruminant des pensées qui n'allaient pas en s'améliorant. Il allait me laisser de toute façon. C'était à prévoir. Presque vingt-cinq ans de différence…

J'arrête à la *Boulangerie des Princes* prendre quelques croissants au chocolat, les préférés de Maxime. En ligne derrière le comptoir, je regarde distraitement les autres pâtisseries, le cœur un peu amoché, oscillant entre le soulagement et la déprime. Je lève les yeux et j'observe le pâtissier. J'aime le regarder travailler. Vêtu de son habituel t-shirt blanc, il pétrit la pâte avec toute la vigueur de ses robustes bras. Je contemple un instant ses biceps qui tressaillent sous l'effort. Maudit qu'il est sexy! Je lève les yeux. Mon regard croise le sien. Il sourit. Il sait très bien ce que je regardais et ce à quoi je pensais. Je souris aussi et soudain toutes autres considérations me paraissent bien relatives. Je paie mes croissants. Je lève les yeux, il me regarde toujours, l'air coquin. Je sors du marché le cœur léger, l'ego rassuré.

Tantôt, j'ai eu toute la misère du monde à avaler un café avec Patrick. J'anticipe avec plaisir le petit-déjeuner que je prendrai dans quelques instants avec ma cocotte d'amour. Je ne peux m'empêcher de penser que ma nature sensible me prédispose aux sentiments excessifs.

En un regard, mon beau pâtissier m'a fait oublier toutes mes pensées moroses. Maxime pense qu'il est gai. On s'en fout. Ersatz ou pas, il m'a fait du bien.

CHAPITRE 14

Il y a deux ans et huit mois maintenant que Madeleine a quitté Saint-Eugène. C'était au mois de février 2007. Trois mois plus tard, Laurent était parti à son tour. Depuis, ils vivent ensemble dans le Vieux-Longueuil. Maxime dit que c'est une très jolie maison tout près de la rue Saint-Charles où il fait bon marcher le samedi matin en amoureux. Bien sûr, j'extrapole. Connaissant Laurent et l'hédonisme de l'autre, c'est sûr qu'ils font de longues promenades au soleil, s'arrêtant tantôt pour un café, tantôt pour un petit porto, au gré de l'heure et des envies. Après avoir vécu tant d'années en plein milieu agricole, ô combien propice à l'épanouissement familial, je reluque avec convoitise les plaisirs accessibles et l'aura d'éternelle jeunesse qui flottent comme un nuage du côté urbain. L'univers bucolique qui a si bien nourri notre nidification me semble soudain bien restreint. Mes aspirations s'affirment et prennent du poids. Ma salopette rurale pète de tous côtés. Il faut que je sorte d'ici.

J'ai cru qu'il serait malaisé de convaincre Maxime et qu'il me fallait y aller d'arguments choisis afin de l'amener graduellement à quitter le berceau de son enfance. La maison de notre enfance, c'est quelque chose. Il fut un temps où Maxime pouvait entrer debout dans les armoires de cuisine pour jouer avec les *Tupperwares*. Ça laisse des traces dans l'inconscient, il me semble… Celui de la mère en tout cas. Bref, j'imaginais que de l'amener à abandonner ce lieu sacré allait requérir beaucoup de doigté. J'ai élaboré avec soin mon entrée en matière : un vendredi soir comme je les aime, c'est-à-dire un vendredi où Maxime n'a rien de prévu et où le souper s'éternise en une longue conversation. Dieu bénisse les repas du vendredi.

J'ai connu bien des détails sur la vie de ma fille grâce à ces moments propices aux confidences. C'est moi qui buvais et c'est elle qui finissait parfois par dire l'innommable. Ce soir béni, je prépare des moules au bleu en entrée et un steak-frites à son goût. J'ai en tête mon petit laïus et une tonne d'arguments bien préparés. Pfff… Je n'ai jamais fini ma première phrase où il était question de passer à autre chose, dans un nouvel univers plus à même de satisfaire nos besoins en matière de culture, de rencontres…

— On déménage! *Yesssss*! Ah! maman, on devrait aller à Montréal! On aurait du fun! On pourrait aller voir des films, aller au théâtre, souper au resto en y allant à pied! Hé! Tu sors de chez vous, pis c'est le Plateau-Mont-Royal…

— Ben là! Minute! Je ne suis pas sûre qu'on ait les moyens de se payer une maison sur le Plateau!

— Pis, ça! On prendra le métro. Tu sors du métro, pis t'es sur le Plateau! On n'a pas besoin d'une maison, on va louer un appart!

— Attends! Attends! On se calme! Tu irais où à l'école? Je pensais que tu voulais t'inscrire ici au Cégep de Saint-Hyacinthe…

— Maman… les Sciences humaines, il n'y a pas un seul cégep dans la province de Québec qui ne l'offre pas, ce cours-là! Il reste encore un mois avant la fin des inscriptions pour le mois de septembre. J'ai le temps en masse!

— Faudrait aussi que je commence par me trouver une nouvelle job à Montréal. Faut le payer, le logement, maison ou pas.

— Pas de problème! Papa trouve l'idée «au bout'» et il est prêt à nous aider.

Oups… juste à me voir l'air tout à coup, Maxime sent qu'elle en a trop dit. Ou pas assez.

— Papa… Tu veux dire que t'en as déjà parlé avec Laurent? Avec Madeleine peut-être aussi, tant qu'à y être?

— Ben non, maman. Juste avec papa. Madeleine n'a rien à voir là-dedans. Ça fait une couple de fois que papa et moi, on en parle. C'est sûr, c'était bien l'fun, Saint-Eugène, toutes ces années, la petite école de cent soixante élèves, les activités des loisirs où tout le monde connaît tout le monde… C'est bon pour les enfants! Moi, un jour, je vais revenir à Saint-Eugène. Mais seulement quand je vais avoir des enfants!

— Je te ferai remarquer qu'on n'est pas encore parties! Et puis, est-ce que je peux savoir pourquoi tu ne m'en as jamais parlé? T'en parles à ton père, mais c'est de moi finalement qu'il est question. J'apprends là, maintenant, parce que *j'ai* commencé à en parler ce soir, que t'es prête à partir demain matin et que Laurent, l'heureux bénéficiaire de tes confidences, est d'accord. T'avais l'intention de m'en parler à un moment donné, j'espère!

Déjà, je suis debout en train de ramasser mon assiette, mes ustensiles, et le pas allongé avec lequel je me dirige vers le comptoir trahit ma frustration. Tout en rinçant énergiquement mon assiette, j'essaie de me dire que de toute façon c'est ça que je voulais! C'est exactement là où je voulais l'emmener. Je suis frustrée. On m'a volé mon idée. Pire, mon ex m'a damé le pion... Et si ça se trouve, ils en ont déjà parlé tous les trois... J'ai l'air de quoi, moi, là-dedans? Une *hillbilly*, bâtard!

Maxime, qui est venue me rejoindre à la cuisine et qui dépose son assiette dans l'évier, ne sait plus trop par quel bout me prendre pour éviter le dérapage. Elle me connaît assez pour savoir que j'approche la courbe dangereuse et que je file à belle allure.

— Maman... J'en ai parlé seulement avec papa, une ou deux fois... On est allés tous les deux à Montréal un samedi matin..., échanger des pantalons qu'il m'avait achetés. Je lui disais comment j'aimais ça, Montréal. Comment ça bouge! C'est vivant! Le monde est pas pareil. Le monde s'habille pas pareil. Ici, à Saint-Hyacinthe, les femmes se mettent toutes *cutes* pour aller faire leur épicerie au *Métro Riendeau*. À Montréal, les filles vont prendre un verre en gougounes, maman. En gougounes!
— T'es allée dans un bar à Montréal!!!
— Ben oui, une fois. C'était la fête de Thomas. On est allés tous les quatre au resto et ensuite dans un petit bar où on a joué au billard. C'était super le fun. Mais c'est pas de ça que je voulais te parler! À Montréal, à voir comment les filles s'arrangent pour sortir, on dirait que ça fait partie de leur ordinaire. Tu dois bien savoir ce que je veux dire, t'as vécu assez longtemps à Montréal! Papa me disait que t'avais un appart rue des

Érables. Que c'est là que tu restais quand il t'a connue. Que t'adorais ça...

— Il en dit bien des affaires, lui!

— Oui... Pis c'est lui qui m'a dit aussi d'attendre avant de t'en parler. Il disait que t'avais eu déjà beaucoup de bouleversements dans ta vie au cours des deux dernières années et que je devais te laisser le temps de te remettre sur pied. Il a dit que t'étais une femme forte, douée pour le bonheur, et que ça n'allait pas tarder. Il savait qu'un jour ou l'autre t'allais te revirer de bord et repartir à neuf. Il m'a même dit que, quand ça allait arriver, j'étais aussi bien d'attacher ma tuque. Mais il voulait que j'attende que ça vienne de toi pour pas que tu te sentes bousculée. Il a dit qu'en temps et lieu, si tu voulais, on pourrait vendre la maison et qu'il nous aiderait financièrement tant qu'il le faudrait. Il était prêt à nous laisser sa part de la maison pour en acheter une nouvelle à Montréal.

Maudit Laurent en marde. Pas moyen de le haïr bien longtemps, celui-là. Je me sens dégonflée comme un ballon oublié le lendemain d'un party. La main droite devant mes yeux, le bras gauche appuyé sur le bord du comptoir, je me mets à pleurer. De gros sanglots qui secouent mes épaules et toutes mes frustrations.

Maxime me prend dans ses bras. Je dégouline dans son cou. Elle a toujours eu la fibre maternelle lorsque, de mon côté, tout bascule. Non, ce n'est plus une enfant. C'est une jeune femme. Une belle jeune femme prête à faire son entrée en ville. Je ne sais plus pourquoi je pleure. J'ai une fille magnifique qui aurait bien pu me laisser tomber comme une vieille savate et qui, au contraire, rêve d'un ailleurs plus excitant *avec* sa mère. J'ai un ex qui planifie des arrangements financiers à notre avantage pour nous permettre une transition en douceur. « *Count your blessings* », disait feu mon oncle Roger, lui-même lourdement handicapé. Ce doit être ça, être doué pour le bonheur. S'accrocher à tous ces petits riens en notre faveur qui nous tirent vers le haut. La résilience. J'ai une pensée pour Maurice qui de toute évidence en a manqué. Il s'était sans doute trop bien protégé sa vie durant, son cocon de solitude le préservant des germes environnants. On ne bâtit pas d'anticorps dans une bulle aseptisée. Au premier virus, il est tombé.

Pauvre Maurice... Je ne l'ai revu qu'une seule fois, quelques semaines après son humiliante sortie publique, juste avant sa descente aux enfers. C'était un jeudi soir. Je m'en rappelle parce que c'est le soir où Maxime fait du bénévolat avec sa copine Jacinthe à la bibliothèque. Je suis seule, Maxime est partie depuis presque deux heures, et je ramasse la vaisselle sale. J'écoute Daniel Bélanger, la tête dans les nuages. Loulou jappe, quelqu'un vient. J'allume la lumière sur le balcon, j'entends des pas, mais je ne vois personne. Je reviens vers la porte de derrière et je sursaute à la vue d'une robuste silhouette qui fait dos à la porte. Mon cœur bat plus vite. Je ne sais pas si les hommes vivent ça, eux aussi. Ce petit doute fatigant qui chicote : seule, le soir, un inconnu à la porte. Mon regard se pose sur le verrou. Léger répit : il est mis. Quoique, à la carrure du bonhomme... Je n'ai pas le temps de m'inquiéter davantage, le taupin se retourne et je reconnais mon voisin.

— Maurice?!

Je me hâte d'ouvrir la porte. Dès qu'il passe le seuil, j'ai le pressentiment que ce n'était peut-être pas la chose à faire. Trop tard, lui d'ordinaire si réservé est déjà rendu dans la cuisine. Il tire une chaise et s'assoit. Au premier coup d'œil, je vois qu'il a bu. Dieu sait qu'il est capable d'en prendre. Quand on éclusait nos bonnes bouteilles à quatre, c'était le seul qui gardait tout son aplomb. Je ne l'ai jamais vu ivre avant ce soir. Je suis vaguement inquiète. Je garde un air détaché comme s'il n'y avait rien d'incongru à le voir entrer, paqueté, dans ma cuisine, à 8 h 30 un soir de semaine.

— Qu'est-ce qui t'arrive, Maurice? Ça fait longtemps que je t'ai pas vu.

— Ouais… un bout'. Dans le temps des fêtes, j'cré ben. La fois que ton beau Laurent avait chié un beau paquet d'excuses pour m'empêcher de monter voir l'autre salope.

Oupelaye. Le ton est donné. Qu'est-ce que je fais avec ça maintenant? Je remarque que lui, habituellement si propre de sa personne, a le cheveu gras, les ongles sales et les vêtements souillés. Au moins, il ne sent pas la porcherie. Il a dû se faire remplacer par son homme engagé pour le train de fin de journée.

— Coudon, Jeanne…, le savais-tu, toé? Quand je suis venu entre Noël pis le jour de l'An, le savais-tu qu'ils étaient déjà ensemble, ces deux-là?

— Non, Maurice. Je l'ai su la veille du jour de l'An.

— Tu vis avec le gars depuis des années, pis tu vois pas ça?

Pourquoi est-ce que je sens que, dans quelques minutes, ce sera ma faute? Je prends une chaise à côté de lui et j'essaie de ne pas m'énerver.

— Maurice…, c'est pas si simple…

— C'est exactement ce que la câlisse m'a dit l'autre jour quand je les ai pognés ensemble chez elle. J'ai-tu l'air d'un épais pour qu'on pense que tout est trop compliqué pour qu'on m'explique, baptême!

— Voyons donc, Maurice… Tu sais bien que c'est pas ça. Ce que j'essaie de te dire, c'est que, oui, je me posais des questions. Mais ce n'est pas arrivé comme ça, tout d'un coup. Au début, quand il partait pour son travail et passait du temps avec Madeleine, il m'appelait tout le temps, il voulait que j'aille les rejoindre, mais moi, j'avais à couvrir pour l'absence de ma boss, j'avais mes affaires, Maxime que je ne voulais pas laisser seule. Après, il a cessé peu à peu de m'inviter, mais je pensais que c'était parce qu'il était tanné de se faire dire non, qu'il savait que, si je pouvais, j'irais.

— Il baisait-tu encore avec toi quand il revenait?

— Regarde, Maurice, je ne suis pas certaine que ça me tente de te raconter ma vie privée…

— Ta vie privée! Câlisse! Dans mon livre à moi, quand c'est rendu des échanges à quatre, c'est pus une vie privée!

J'ai le goût de lui rappeler que les échanges dans son cas se résumaient à une fois, un soir, une personne, mais, bon. Comme je veux le calmer et non le faire chier, je passe.

— Tu sais, Maurice, après dix-huit ans, une vie de couple ça change. La libido connaît des hauts et des bas, et ça n'aura pas été notre première période de relâchement hormonal. Laurent avait l'habitude de dire que c'était comme la marée : ça va, ça revient. On en profite quand ça passe.

Et parfois ça ne revient plus. Cette pensée me remplit d'une profonde déprime et je me demande soudain ce que j'ai à vouloir l'épargner, lui, l'ermite contaminé, qui n'a perdu qu'un peu de rêve et quelques poils de dignité. Qu'est-ce que c'est à côté de ce que j'avais, moi! La famille parfaite, le chum super, l'amour, la tendresse, le cul au gré des marées, toute ma vie, quoi! Je pose sur lui un nouveau regard. Inconsciemment, je me lève, question sans doute de pouvoir le regarder d'un peu plus haut.

— Je pense que j'ai perdu pas mal plus de plumes que toi, Maurice Dubreuil. Tu débarques ici un soir, à l'improviste, pour me questionner, pour essayer de comprendre… Y a rien à comprendre, Maurice! Sont tombés en amour, bâtard! Point final. Toi, tu voulais quelque chose que tu n'as jamais eu, c'est tout! Moi, j'ai tout perdu! Puis tu viens me faire des reproches…, à moi! Ahh! tu ne l'as pas dit, mais c'est ça que tu penses, par exemple! Tu m'en veux de ne pas avoir pu arrêter l'hémorragie. Tu m'en veux de ne pas avoir gardé mon coq dans mon poulailler. Bien, le poulailler était trop vieux, faut croire! Il devait y avoir un trou quelque part parce qu'il a sacré le camp, mon coq! On aura beau se lamenter *ad vitam æternam*, c'est fini, il ne reviendra plus. Puis ta poule non plus!

Du haut de mes cinq pieds trois pouces, je le harangue, ponctuant chaque phrase d'un coup d'index sur le bord de la table. Je pense que je l'ai assez surpris pour qu'il dégrise légèrement. Il se prend la tête à deux mains, massant ses tempes comme s'il voulait mettre un peu d'ordre là-dedans. Moi, je ne l'avais jamais vu saoul. Lui ne m'avait jamais vue *crinquée*. En réalisant à quel point je me sens mieux tout à coup, la pensée m'effleure que la colère est exutoire. Bien plus que la déprime.

Je regarde Maurice qui ne dit plus rien. Il se tient toujours la tête. Je ne sais pas combien de temps il serait resté là si Maxime n'avait pas choisi ce moment-là pour revenir. Il sursaute légèrement lorsqu'elle entre. Elle s'arrête pile sur le pas de la porte de la cuisine. La tension doit être palpable. Elle me regarde les sourcils froncés, l'air interrogateur. Dans un murmure, elle nous salue tous les deux.

Maurice lui sourit. De toute mon existence, je n'ai jamais vu sourire plus triste. Il se dirige vers la porte. Son pas pèse plus lourd que ses deux cent cinquante livres. Il se retourne avant d'ouvrir la porte.

— T'as raison, Jeanne. J'peux pas avoir rien perdu si j'avais rien. Zéro moins zéro, ça fera jamais un gros score.

Sans mot dire, je le regarde partir, le dos voûté, assommé par ces paroles qui m'avaient libérée. Je sens bien qu'il vient de frapper un mur qu'il tentait sans doute d'éviter. Je ne savais pas alors que c'était la dernière fois que je le voyais vivant. Mais qu'est-ce que j'aurais pu faire? Pas grand-chose sans doute, mais je suis restée avec un lourd fardeau sur le cœur : le poids de la culpabilité. J'ai beau me répéter que c'est la vie et que tout le monde sort grandi des épreuves qu'il rencontre. Qu'il aurait dû s'en sortir comme nous tous. Mais Maurice Dubreuil n'est pas comme nous tous, n'est pas comme tout le monde. Ne l'a jamais été.

Il avait ses règles et ses façons qu'il a eu l'imprudence d'enfreindre l'espace d'une année. Une toute petite année qui aura pesé bien lourd sur son destin peu ordinaire. Chez cet homme bardé de fer, la résilience aura fait défaut. Peut-être nécessite-t-elle un terreau plus aéré. Quand le granit tombe, il se casse en mille miettes.

C'est à tout cela que je pense, dans les bras de Maxime, toutes deux enlacées devant l'évier de la cuisine. Je ne pleure plus et je sais que nous allons déménager à Montréal. Ce n'est qu'une question de temps. Je ne suis pas faite de ces matériaux qui éclatent. Laurent a bien raison : je suis faite forte. Sensible, mais forte.

Sous les décombres de la frustration et de la culpabilité, je retrouve peu à peu l'heureuse perspective de changements prometteurs. J'ai un instant la vision cauchemardesque de l'ampleur de la job à venir : les boîtes, le ménage, tous les souvenirs à départager. Je prends une grande inspiration. Une chose à la fois. Je m'écarte un peu de Maxime. Je ne suis pas seule, Maxime va m'aider. Laurent aussi, j'en jurerais. Maxime me regarde et elle sourit. Elle me connaît. Elle sait que le pire est passé. Elle sait que c'est le temps de changer de sujet.

— Les pâtisseries que tu as achetées, c'était pour ce soir?

Le Secret du bonheur de Marcelle Auclair. C'était un livre que ma mère avait toujours sur sa table de nuit quand j'étais ado. Je le feuilletais parfois, couchée sur son lit. Je trouvais ça bien niaiseux. Madame Auclair, précurseur du Nouvel Âge. Une suite de petites phrases qui devaient éveiller la fibre *youpelaïlée* des lectrices. Voir si un homme – c'était avant les nouveaux hommes – avait le temps ou le goût de lire des affaires de même. Non, pour mon père, c'était tout simple. Le Canadien a gagné, c'est ça, le bonheur.

— On a gagné!

Si « on » avait perdu, mieux valait ne pas trop l'achaler. Encore chanceux, les enfants de cette époque, quand le Canadien gagnait la plupart du temps.

« Le secret du bonheur, c'est… un soir d'avril…, une jeune fille et sa mère à la cuisine…, deux pâtisseries à partager… » Ouache… J'ai beau avoir perdu des plumes, je n'en suis pas encore là. J'ai moins faim tout à coup.

CHAPITRE 15

Les mois qui ont suivi furent très productifs. Tirée en avant par la détermination de Maxime et de Laurent, je me sentais parfois aussi impuissante qu'à l'époque des grands tourments. Avec le recul, j'appellerais ces quelques mois ma période de *caboose*. Vous savez, cette petite chose rouge attachée à la queue du train et qui ne transporte absolument rien, ni marchandise ni passagers, sauf ceux-là mêmes qui le conduisent. Aucun défi, aucun problème n'arrêtaient la locomotive de mes deux cocos, et je suivais mi-effrayée, mi-ravie, emportée par leur enthousiasme.

Laurent a trouvé *le* duplex, rue Saint-Gérard à Montréal, à deux pas du métro Crémazie. Une vieille dame, dont le mari vient de décéder, semble voir dans notre charmant trio une nouvelle âme prometteuse qui saura meubler avec amour l'intérieur que sa propre famille a si longtemps chéri. À un point où elle vient de mettre sur la glace une offre supérieure à la nôtre, issue d'un couple sans enfant qui reluque son univers avec l'œil du spéculateur – ce sont ses paroles « l'œil du spéculateur ». La dernière demeure de feu son Edgar ne tombera pas dans des mains aussi vénales, parole d'Irène. Les murs patinés aux boiseries originales ont raison de mon ange gardien qui me souffle de bien vouloir préciser les tenants et aboutissants de notre «si belle famille». Nous pourrions prendre possession le 1er mai.

— La locataire du deuxième est une jeune femme sans enfant, sans conjoint, d'un naturel réservé. Elle est dans la jeune trentaine, je crois. Mais je n'en suis pas certaine. On ne sait jamais avec les jeunes femmes sérieuses. C'est si rare de nos jours. Elle travaille depuis environ sept ans comme infirmière au CLSC, juste au coin de la rue Jarry, à deux pas d'ici. Vous serez tranquilles avec elle. Elle retire toujours ses chaussures en entrant, c'est une vraie perle. On ne l'entend jamais.

Je l'imagine trottinant à travers le logement dans des petites pantoufles de peluche bleue. Maxime est ravie. Je suis ravie. Laurent est ravi. La petite dame en haut est un amour. Madame Irène est elle aussi ravie de laisser aller son trésor à une si jolie famille. Elle n'a pas d'agent immobilier, son notaire pourrait préparer une offre d'achat. Madame Irène nous voit dans sa soupe. J'ai quelques remords que je fais taire en me disant qu'on n'a encore rien signé et que d'ici à ce que ça se fasse, j'aurai bien le temps d'éclaircir le quiproquo.

Comme si ce n'était pas assez de nous avoir déniché le logis, Laurent a réussi à m'obtenir une entrevue pour un poste au service de la promotion de *La Presse*. Un ami d'une amie, a-t-il dit. Je me rends à cette entrevue et j'appréhende le processus normal de sélection : les tests de français, d'intelligence peut-être ou de dactylo! Ça fait tellement longtemps qu'on n'a pas mesuré mes capacités! J'ai la chienne. Je n'ai aucune idée des tests qu'on passe de nos jours. Laurent m'a dit de ne pas m'en faire. Que j'étais parfaitement outillée.

Dès que l'entrevue a été confirmée, le vrai casse-tête a été de décider ce que j'allais porter. Pas facile. Ça ne prend pas grand-chose pour être *out*. On a beau avoir connu une jeunesse plutôt dégourdie en milieu on ne peut plus urbain, la campagne a le tour d'absorber son monde. Très vite. On décroche, on perd le fil, je ne sais pas, moi. En tout cas, on change. Ou peut-être suis-je complètement dans le champ – oh! – et qu'il s'agit somme toute d'un corollaire de l'âge. Qu'est-ce que j'en sais finalement? On s'encroûte peut-être aussi vite à la ville qu'à la campagne, sauf qu'on devient de vieux encroûtés mieux habillés. Je stresse à l'idée d'avoir l'air de ce que je suis.

Après plusieurs visites infructueuses au centre commercial de Saint-Hyacinthe, j'ai trouvé un petit tailleur dans une boutique des *Promenades Saint-Bruno* dont je ne me rappelle plus le nom et qui semblait faire « assez jeune », mais pas trop. J'espère être « tendance », comme disent les animatrices à la radio de Radio-Canada. L'entrevue s'est bien déroulée, enfin il me semble. Les tests aussi, paraît-il. En tout cas, c'est ce que m'a dit avec un sourire entendu madame Yacovetti ou Yacovelli, je ne sais plus trop, la dame qui m'a fait passer les tests au service des ressources humaines.

Je sors de l'édifice; il est 16 h 30. Quelques minutes plus tard, je suis prise dans un embouteillage à l'entrée du pont Jacques-Cartier. Incroyable que des gens se tapent ce genre de supplice matin et soir et qu'ils s'y habituent. Il paraît que l'homme, après le rat, est l'animal qui s'adapte le plus vite à un nouvel environnement. Seule la vermine nous bat, semble-t-il. S'il arrivait un mégacataclysme, à moyen terme on serait peut-être les seuls survivants, nous et les rats. Le gars en arrière vient de me klaxonner. Occupée à survivre, j'ai laissé un peu trop d'espace se créer entre mon auto et celle qui me précède. Hue, cocotte!

Je repense à l'entrevue. Sans être carrément banal, le poste à combler est pas mal moins jet-set que je ne me l'étais imaginé. Je devrai – si je suis choisie – aider à organiser et à faire le suivi des diverses campagnes de promotion, faire un certain travail avec la promotion des campagnes dans le journal – travail que je n'ai pas bien saisi – et m'occuper des tirages et de la distribution des prix quand il y a des concours. Toute la partie «glamour» de l'univers est assumée par la directrice du service, une jeune femme très sympathique qui fait ce job depuis près de quinze ans et dont l'enthousiasme ne pâlit pas. Madame Yacovetti, appelons-la comme ça, me racontait que tous ses collaborateurs-trices – c'est comme ça que la directrice à la promotion les appelle – disent d'elle qu'elle est heureuse comme une écolière chaque fois qu'il lui est donné de rencontrer des personnalités du monde des artistes. Elle court les premières de films, les lancements de livres, les vernissages. Je me dis que ça doit consoler les collaborateurs-trices de la monotonie de leur travail. C'eût été bien plus chiant de travailler avec une désabusée pour qui tous ces «privilèges» seraient devenus de l'ordinaire. Le personnel vit ses aspirations au vedettariat par procuration.

Quand je suis arrivée, tout le monde revenait du lunch et, à voir les paquets que les filles déposaient près de leur bureau, on n'avait pas que mangé. Ça papotait et riait gentiment. Du beau monde bien décontracté. J'essayais d'avoir l'air au moins un peu à l'aise. Le seul qui semblait parfaitement dans sa bulle, imperméable à toute cette agitation, c'était le graphiste. J'ai cru comprendre qu'il s'appelle Roland. C'est le seul gars du bureau. Un grand brun, pas nécessairement beau, mais un genre ténébreux intrigant. Il produit le visuel des nouvelles campagnes, avec beaucoup de talent pour le peu que j'ai vu. Il a esquissé un bref sourire dans ma direction à son passage. Un sourire parfaitement absent.

Du côté des autres collaborateurs-trices par contre, le regard s'est attardé. J'ai eu le net sentiment d'être carrément à côté de la *track*. Le tailleur, même modeste, et le petit talon n'étaient peut-être pas si passe-partout que ça, tout compte fait. Bon, les filles n'étaient peut-être pas en gougounes, mais pas loin. Bref, j'étais trop habillée et je me sentais engoncée dans ma veste un peu trop ajustée à la poitrine. J'ai essayé de les examiner à la dérobée et j'ai été incapable de définir un style. Ordinaire, finalement. Mais toutes les filles étaient beaucoup plus jolies que moi. Je les ai entendues taquiner le grand intrigant à propos d'une invitation à dîner ou quelque chose comme ça. Il ne s'est pas retourné, mais je l'ai entendu très distinctement répondre un « *Fuck you,* Caroline » qui n'a pas semblé émouvoir la petite rousse à qui la réplique semblait destinée. J'ai eu, un court instant, l'impression d'être assise devant mon téléviseur.

Le pont Jacques-Cartier a l'air d'un stationnement. Plus je repense à l'entrevue, moins il me semble avoir été à la hauteur. Je ferme les yeux quelques instants. Pas de problème… Si ça avance, le gars derrière va klaxonner. Le soleil est encore bien haut dans le ciel; il se cachera bientôt derrière Place Ville-Marie. Je ne sais plus quoi penser. Tout se mélange. Le goût, la peur. Le goût de la peur. *Summer breeze makes me feel fine, blowing through the Jasmine in my mind…* Seals & Croft à CHOM. Mon ancien moi, il y a trente ans déjà. Je me rappelle un été, quelques semaines sur le bord du lac des Sables avec une bande d'amis. Je l'aimais, il m'ignorait. Je ne l'aimais plus, il me courait après. J'étais plus jeune et plus belle, mais ni plus ni moins heureuse, je crois. Une autre époque, un autre décor…, un autre problème amoureux. Vicissitudes qui, je dois quand même le reconnaître, m'auront été épargnées pendant près de dix-huit ans. Un privilège, sans doute. Trêve de bataille sentimentale, le temps de faire une grande fille de seize ans.

À gauche du pont, j'entrevois les manèges de *La Ronde*. Je me revois à treize ou quatorze ans, dans le quartier Ahuntsic, à quarante minutes en autobus de cet extraordinaire bassin d'hormones. Les aspirants séducteurs étaient légion et en général moins difficiles que les filles. Plus affamés, sans doute. Les longues files d'attente à l'entrée des jeux favorisaient les rencontres et les échanges qui titillent. J'y ai laissé mon enfance auprès d'un gringalet frétillant d'impatience qui me faisait vaguement penser à George Harrison et avec lequel j'ai connu mon premier french. Je m'en rappelle parfaitement, il y a des moments qui nous marquent. La pluie venait de cesser, et nous étions assis sur un banc humide à côté du stand de tir où mes deux chums de filles et leurs boutonneux respectifs visaient la bouche des clowns avec leur fusil à eau. J'entends encore le son grinçant du timbre qui met fin au jeu et les cris de joie de ma chum Louise qui avait soit beaucoup de talent, soit une arme plus efficace : on ne peut jamais savoir.

À quelques pas de là, je savourais ma propre victoire. C'était la première fois que le plus beau me choisissait, et il me semblait que ce long baiser mouillé était payer bien peu cher l'immense bonheur que je ressentais enfin. Peut-être m'avait-il approchée parce que je lui plaisais vraiment, peut-être savait-il que la moins jolie des trois serait plus facile à conquérir : on ne peut jamais savoir. À vrai dire, je m'en foutais. Pour une fois, je n'étais pas l'exclue des jeux amoureux qui joue l'indifférence, en attendant que ses deux amies lui reviennent.

La tête dans les nuages, je flotte au volant de ma vieille Tercel au-dessus du pont Jacques-Cartier. Rien n'est plus triste qu'un parc d'attractions hors saison. Les manèges abandonnés soupirent. La grande roue me regarde passer sans réagir. D'un petit coup de pare-chocs, je lui donne l'élan qu'il faut pour la remettre en marche et j'accompagne un instant les petites nacelles qui s'éveillent. Je survole un instant le village du Far West d'où monte une odeur de frites et de hot-dogs. Je sais où je vais. Je m'en vais rejoindre mon préféré. Celui qu'on appelle aujourd'hui *Le Monstre*, je crois. Les Montréalais de ma génération qui ont connu le parc Belmont appellent encore souvent les montagnes russes *Le Cynique*. Du terme anglais *scenic*, paraît-il. Enfant, j'avais demandé à ma mère ce que le mot signifiait, sans lui mentionner que c'était au manège que je faisais référence. Elle m'avait expliqué qu'une personne cynique se moque un peu méchamment de la naïveté des autres et de ses semblables en général. J'en avais conclu que *Le Cynique* avait été nommé ainsi parce qu'il se moquait des enfants et de leurs peurs. Je l'ai toujours chevauché comme on relève un défi : avec plus de courage que de plaisir. À *La Ronde*, c'est le dernier manège, tout au fond. Il est situé si près du fleuve que l'une des descentes, la plus vertigineuse, semble vouloir nous propulser dans les eaux. *Le Cynique* m'attend. Je constate à son sourire en coin qu'il me voit venir. Il s'ébroue et s'étire, fait le dos rond, histoire de se réchauffer un peu. Les pneus de mon auto s'adaptent parfaitement pour chevaucher les rails encore gelés du futur monstre. J'entends le mécanisme qui grince, tak tak tak tak tak tak, alors que, le cœur battant, nous gravissons le plus haut sommet. La peur et le goût. Le goût de la peur. Quelques minutes d'immobilité et de silence sur le toit du monde, et c'est parti. Ma vaillante bagnole garde les yeux grands ouverts alors que je ferme les miens, pour mieux ressentir le long frisson qui monte du ventre jusqu'à la gorge. L'exaltation du vide. J'ouvre les yeux et je vois le fleuve et ses eaux noires que mon tacot devenu bolide effréné évite avec adresse, de justesse, dans un parfait crochet à quarante-cinq degrés. Je suis sauvée.

Je souris toujours de soulagement lorsque ma gracieuse minoune atterrit délicatement sur la voie d'accès de la 132 qui mène à l'autoroute Jean-Lesage. J'en ai presque oublié l'entrevue et Maxime qui m'attend à la maison, trépignant d'impatience.

— Pis?! Comment ça a été?

Hum… Que répondre? Que j'ai eu mal au cœur d'un bout à l'autre de l'entrevue et que les fameux tests m'ont fait suer, moi qui ne sue jamais? Que je me suis sentie provinciale, très provinciale? Que si j'en juge par les regards posés sur moi, je pourrais sans doute faire diversion dans ce monde qui n'est pas le mien?

— Je pense que j'aimerais autant pas en parler. Je me sens vidée, pas très optimiste, et j'aime mieux ne pas trop me faire d'idées tant que je n'aurai pas de nouvelles.
— Ben là! Tu dois avoir une petite idée, au moins. Qu'est-ce que ça avait l'air? Ils t'ont fait passer des tests, quelque chose?

— J'ai passé des tests, trois tests exactement, ça a duré deux heures au moins. Il paraît que j'ai bien fait, dans la moyenne en tout cas. Au service des ressources humaines où je les ai passés, la dame qui s'est occupée de moi était très gentille, elle semblait vouloir me mettre à l'aise. Au service de la promotion, là où je travaillerais si j'avais la job...

— Là où tu vas travailler, maman, parce que tu vas avoir la job...

Je ferme les yeux, et Maxime comprend qu'on est mieux d'en rester là pour l'instant. *Give me a fucking break*, genre. Je monte à l'étage enlever mon putain de tailleur à la con que je laisse tomber au pied du lit, à côté de la jolie camisole à dentelle, du soutien-gorge, de la petite culotte et des bas de nylon dont la bande élastique a laissé l'empreinte sur ma cuisse. Joli comme tout. Je m'effondre sur le lit défait, tirant au-dessus de ma tête le drap et la douillette, dans un vain espoir de dormir cent ans.

Maxime, qui est venue me rejoindre, s'est étendue à côté de moi, par-dessus les couvertures. Son bras qui m'entoure me réconforte. Je suis à l'abri. La personne qui, pour moi, compte le plus au monde vient de glisser sa main sous le drap pour me caresser la tête.

— De toute façon, maman, si ça ne marche pas, cette job-là, il y en aura d'autres. On s'en fout de *La Presse*.

Ses longs doigts caressent mes cheveux comme je l'ai si souvent fait avec les siens pour la calmer les soirs de grands vents. Remède infaillible aux tourments de l'esprit. Maxime restera là, jusqu'à ce qu'elle sente l'abandon du corps qui trahit le sommeil.

CHAPITRE 16

J'ai eu un flash. Une nuit, après un mauvais rêve. Je l'ai déjà dit, les dernières semaines m'ont bousculée. Je garde le cap en me répétant les litanies habituelles. Rien n'arrive pour rien, je fais confiance à la vie. Une façon d'éviter la panique totale qui pointe son nez chaque fois que j'essaye de contrôler un peu l'environnement qui m'échappe un peu plus jour après jour. Pas de panique, la vie a toujours été bonne pour moi, j'ai une bonne étoile et tout va bien aller. Alleluïa, *praise the Lord*.

J'ai l'impression de me retrouver devant des faits accomplis avant même d'avoir eu le temps d'assimiler une nouvelle donne. On a mis la maison en vente; trois visites et deux semaines plus tard, elle était vendue. On trinquait à la *Veuve Clicquot* en sortant de chez le notaire. Laurent capotait.

— Tu te rends compte? Jamais on aurait pensé vendre si vite! À ce prix-là en plus! Maudit qu'on est chanceux!

Sans commentaire.

Je suis conviée à une deuxième entrevue à *La Presse*.

135

On m'offre la job. La directrice du service quitte bientôt pour un voyage de trois semaines en Italie. Je pourrais commencer en avril, après son retour. J'ai annoncé mon départ à ma patronne. J'appréhendais cet instant pour rien.

— Ce sera difficile de te remplacer, Jeanne, mais tout le monde ici comprend ton envie de passer à autre chose, après tout ce qui est arrivé…

Durant deux secondes, j'ai une vision de bouche à oreille qui me fait frémir. J'aime autant ne pas trop réfléchir à tout ce qui a bien pu se dire à notre sujet dans le village depuis deux ans. J'ai d'autres chats à fouetter.

Pour m'éviter d'avoir à faire un autre aller-retour à Montréal et pour accélérer les choses – comme si «les choses» n'allaient pas déjà assez vite –, Laurent a signé seul l'offre d'achat avec madame Irène.

— Le notaire a dit qu'il spécifierait la part de chacun dans le contrat d'achat. C'est un investissement pour moi, Jeanne. Ce n'est pas de la charité. Il m'a expliqué qu'on mettrait une clause de rachat à la juste valeur marchande si jamais tu voulais être seule propriétaire. On a un rendez-vous à la banque la semaine prochaine. Le notaire va nous rappeler pour signer l'hypothèque quand ça va être prêt. Quand ça se met à débouler…

Maxime s'est liée d'amitié avec une voisine de Laurent qu'elle voyait de temps en temps, au hasard des visites chez son père. Elles se sont rapprochées récemment quand elles se sont rendu compte qu'elles iraient au même cégep à Montréal en septembre.

On est dimanche, Maxime vient de passer le week-end à Longueuil, et je l'attends pour souper. Le téléphone sonne.

— Maman... Si ça ne te dérange pas, je coucherais chez papa ce soir. Emmanuelle m'a invitée à aller voir un film ce soir avec elle.

— Qui?

— Emmanuelle, tu sais, la voisine de papa à Longueuil, celle avec qui je vais aller au cégep en septembre? Sa mère va venir nous reconduire, puis papa va venir nous chercher après le film. Il va aussi m'emmener à l'école demain matin; il doit partir pour Québec de bonne heure.

Emmanuelle... C'est rassurant, ça, comme nom. Pas de danger que sa nouvelle chum s'appelle Catherine ou Élisabeth! Emmanuelle... J'ai l'image d'une grande brune dans une chaise en rotin chaque fois que j'entends ce nom-là. Elle est super fine, il paraît.

Je raccroche et reste quelques secondes la main sur le combiné, une petite boule quelque part entre le nombril et le plexus solaire. Je me dirige vers la cuisine. J'ai préparé un rôti de porc qui cuit doucement au milieu de ses pommes. Maxime adore le rôti de porc aux pommes. Je n'ai plus très faim. Je prends un pot dans lequel il y a un fond de yogourt au café Liberty.

J'allume la télé et je m'assois, les jambes sous moi, une cuillère entre les dents, le pot de yogourt dans une main, la télécommande dans l'autre. La petite boule que j'avais au ventre semble vouloir prendre du volume. J'écoute Charles Tisseyre raconter avec son enthousiasme habituel l'incroyable voyage annuel des couples de manchots vers le désert de glace inhospitalier qui leur sert de salle d'accouchement. La détermination et l'abnégation de ces petites bêtes sont un bel exemple de dévouement parental, raconte Charles.

Je dépose distraitement le yogourt et la cuillère sur la table du salon, à côté de la télécommande. Qu'est-ce qui se passe? C'est quoi cette angoisse qui me coupe tout à fait l'appétit maintenant? Maxime s'en va voir un film, puis après? Elle couche chez son père; ce ne sera ni la première ni la dernière fois. Qu'est-ce que j'ai à me sentir à l'envers comme ça?

Je prends un long bain éclairé aux chandelles, *Espace musique* en trame de fond. Je travaille fort pour me secouer les puces. Comme j'ai la moitié du corps qui dépasse et qui refroidit, je passe mon temps à me mouiller la bedaine et les seins avec la débarbouillette que je laisse dégouliner sur moi. D'habitude, c'est un rituel qui me détend; ce soir, il me déprime. J'ai l'impression que les seins sont plus affaissés, et le ventre sort plus de l'eau qu'à l'ordinaire. J'ai peut-être mis moins d'eau. Je sors du bain. J'ai encore ma boule et même un vague mal de cœur. Je voudrais aller dormir, mais je sais que je vais faire la truite pendant une heure, à virer d'un côté et de l'autre. Je prends deux *Gravol*: c'est bon pour le mal de cœur et ça va me faire dormir. J'ai besoin de mettre la *switch* à *off* pour un petit bout. À un moment donné, quand penser ne règle rien, on devrait pouvoir enlever nos propres piles et s'accorder un temps de vacuité. J'en connais une qui passerait son temps à me les remettre...

Je débranche le téléphone à côté du lit. Ce que je ne fais jamais quand Maxime n'est pas là. Je ne pourrai plus jamais dire ça maintenant. Je me traite de mère indigne, mais je persiste et signe. Je prends un livre sur la table de nuit. J'en ai toujours quelques-uns en chantier. Ce soir, je choisis en fonction du poids. *La Promenade au phare* de Virginia Woolf. Un petit livre qui tient presque tout seul et qui ne risquera pas de me crever un œil lorsque les *Gravol* feront leur effet. Ce qui ne saurait tarder à en juger par le nombre de fois que je viens de relire la même phrase.

Madame Irène m'ouvre la porte. Elle est en larmes. Sa maison a été cambriolée et les brigands ont saccagé les murs à coups de hache. L'idée me vient de demander à madame Irène ce qu'elle faisait avec une hache dans sa maison, mais elle m'entraîne déjà vers la cour arrière où le chien du voisin a déterré ses beaux bouquets de géraniums, ce qui semble la troubler tout autant que les trous béants dans son mur de salon.

Je reviens dans la maison, et Laurent est en train de boucher les trous avec du plâtre. Il me dit que je vais pouvoir regarder mon émission ce soir. Le téléphone sonne, c'est Maxime. Elle est avec Emmanuelle et elle ne rentrera pas coucher. Elle parle à quelqu'un d'autre – probablement la grande brune aux yeux de biche – en même temps qu'elle me parle. Elle n'a pas beaucoup de temps, elle doit y aller, elle me rappellera. Je raccroche et je suis un peu en colère. J'ai le sentiment de ne plus avoir d'emprise sur la vie de Maxime, et Laurent, avec qui j'en discute, semble trouver tout naturel qu'elle se détache ainsi de moi. Je réplique qu'elle n'a que seize ans, que c'est encore une enfant.

Nous ne sommes plus dans la maison de madame Irène, nous sommes revenus à Saint-Eugène. Je capote parce que Maxime est partie depuis trois jours et que je n'ai pas de ses nouvelles. J'essaie d'en parler avec Laurent, mais il a la main sur la poignée de porte; Madeleine l'attend dans l'auto. Je suis tellement inquiète! L'indifférence de Laurent me scie. Comment peut-il penser s'en aller pour le week-end en amoureux alors qu'on ne sait même pas où est Maxime? Laurent me regarde comme si j'étais une hystérique. Un mur d'incompréhension nous sépare.

Laurent sort en claquant la porte. Je me précipite derrière lui et je vois Madeleine, assise à la place du conducteur, mais tournée vers l'arrière, en grande conversation avec quelqu'un que je ne vois pas. Je m'approche de l'auto et je suis sidérée : Maxime est là, tout sourire. Je m'approche, incrédule et penchée à la fenêtre arrière, je lui demande pourquoi elle ne m'a pas dit qu'elle était là! Je me tourne vers Laurent et je lui pose la même question. Je ne comprends rien. Je suis dévastée. Laurent me dit de me calmer, Maxime me dit de me calmer, même Madeleine que mon désarroi m'empêche de haïr est sortie de l'auto pour tenter de me calmer. Tout à coup, je suis assise dans l'auto, sur le siège arrière avec Maxime. Laurent et Madeleine sont assis en avant. On roule sur une petite route de campagne. J'aimerais bien parler avec Maxime, lui demander de m'expliquer, mais elle regarde par la fenêtre et elle a sur les oreilles des écouteurs desquels s'échappe la rumeur d'un rap. Maxime déteste le rap!

Je comprends que Laurent, qui conduit maintenant, nous emmène à notre nouvelle maison, là où nous vivrons tous les quatre. Madeleine sourit, et sa main gauche repose distraitement sur la nuque de Laurent qu'elle effleure négligemment. Cet endroit si sensuel que j'ai moi-même si souvent caressé. Je me demande ce que je fais là. Je me jure de descendre de l'auto au premier arrêt, mais je suis incapable de défaire ma ceinture de sécurité. Je tiraille le mécanisme avec de plus en plus d'impatience. Maxime, qui s'est enfin tournée vers moi, pose sa main sur les miennes et me dit de ne pas m'en faire, qu'on allait avoir du fun...

Loulou, qui jappe au rez-de-chaussée, me tire de mon sommeil. J'écoute. Loulou ne jappe plus. Un chat en chasse ou un chien en cavale, sans doute. Assise sur le bord du lit, l'esprit embrumé, je passe mes mains sur mon visage comme pour enlever l'espèce de film gluant qui semble le recouvrir. Le mauvais rêve s'estompe un peu. Pas facile... Maudites *Gravol*.

Je reste là plusieurs minutes, les coudes sur les genoux et les mains devant le visage. J'ai tout à coup un flash : ce n'est pas ce que je veux. Non! Ce n'est pas ce que je veux! Ce qui se trame autour de moi, ce que je laisse faire depuis quelques semaines, ce n'est pas *mon* plan. Cette mascarade de nouvelle vie *youpelaïlée*, ce n'est pas moi. Dans quoi suis-je en train de m'embarquer?

Loulou me voit descendre l'escalier et vient à ma rencontre, toute guillerette, comme s'il n'était pas 4 h du matin. Je m'assois sur la dernière marche, et la guidoune vient se coucher sur le dos, pattes en l'air, réclamant un grattage de bedaine. Elle vieillit, la cocotte. Son ventre dégarni laisse voir de longs poils blancs.

—Je ne sais pas ce que je vais faire, ma louloute, mais je sais ce que je ne ferai pas. Il faut que je parle à Laurent. Ça n'a pas d'allure, tout ça.

Je me lève brusquement. Loulou roule sur le côté, un peu déçue sans doute de me voir l'abandonner si vite. Je compose le numéro de Laurent sur le sans-fil de la cuisine. L'absence de tonalité me rappelle que j'ai décroché le fil du combiné du téléphone dans la chambre avant de me coucher. Le temps que je prends pour aller le rebrancher me ramène à des considérations plus terre à terre.

— Ça n'a pas de maudit bon sens, l'appeler à cette heure-là.

Je suis convaincue que le sentiment d'urgence qui m'habite ne me donnera aucun répit jusqu'à ce que j'aie eu l'occasion de vider mon sac. Sac qui me semble maintenant bien lourd à porter. Je prends une feuille et un crayon et j'écris. Tout le trop-plein y passe.

Je ne veux pas déménager à Montréal avec toi, Maxime, parce que je sais ce qui va se produire. Je vois parfaitement venir. Le Cégep du Vieux-Montréal, la rue Saint-Denis, les terrasses, les nouveaux amis, les partys, les films avec tes chums, les bars le soir.

— Ah! maman, on déménage à Montréal! On va avoir du fun! On va aller voir des films, aller au théâtre, souper au resto en y allant à pied!

Ben, voyons. Un mois de cégep et ta vie ne sera plus la même. *Tu* vas aller voir des films, *tu* vas aller au théâtre, *tu* vas aller souper au resto avec tes chums. Je vais attendre ton appel à la maison. Je vais préparer un souper que tu ne viendras pas partager. Je vais me retrouver seule devant mon téléroman, moi qui n'en regarde aucun. Et je ne pourrai même pas t'en blâmer.

C'est moi, la toutoune, qui me suis mise toute seule dans cette situation? Non, merci.

Je ne veux pas graviter autour de Laurent comme si je n'attendais qu'un signe de lui pour redevenir sa blonde. Je ne veux pas aller vivre dans *notre* nouvelle maison et le voir arriver le samedi midi, la barbe pas faite, beau comme un cœur, pour changer le tuyau qui fuit sous l'évier de la cuisine. Et le voir repartir en fin d'après-midi, ses travaux terminés, la *Corona* vide sur le bord du comptoir. À l'heure où le verre de vin que je viens de prendre pour trinquer avec lui au nouveau tuyau de cuivre commence à prédisposer au bonheur…, le voir s'en retourner vers elle et faire semblant qu'il n'y a pas de problème? Non, merci.

Je ne veux pas aller travailler à un endroit où je me sens comme un chien dans un jeu de quilles. Me taper du neuf à cinq, cinq jours par semaine, moi qui ai toujours bénéficié d'horaires flexibles. Travailler dans une boîte où le produit fini et la place qu'il occupe dans la société montréalaise sont censés compenser la monotonie de la job. Sentir la morgue et la condescendance des petites abeilles qui se prennent pour des reines parce que leur industrie quotidienne fraye avec le gratin? Non, merci.

Je résume un peu la harangue avec laquelle j'ai noirci quatre pages format légal en l'espace d'une demi-heure. J'ai terminé en spécifiant que je ne savais pas encore ce que je voulais, mais que je savais ce que je ne voulais pas. Et tout ça, je n'en veux pas.

La boule est enfin hors de moi. Je prends une grande inspiration. Je me sens tellement bien, libérée. Je monte à l'étage prendre ma douillette, mon oreiller et le réveille-matin. Demain, aussitôt levée, j'appellerai Laurent sur son cellulaire et je lui demanderai de passer prendre l'enveloppe que j'aurai laissée sur la table de la cuisine avant de partir travailler. Je sais qu'il arrêtera avec Maxime, avant de l'emmener à l'école, en route pour Québec.

Je me blottis avec Loulou sur le divan du salon. Elle veut bien reprendre là où on avait laissé. Mes doigts caressent le creux derrière ses oreilles. Je m'endormirai heureuse d'avoir pu faire entrer ma boule dans la petite enveloppe blanche qui repose sur la table de la cuisine et sur laquelle j'ai écrit: «Maxime et Laurent, lisez ceci, s'il vous plaît.»

« Leaving the note that she hoped would say more… »

Loulou pousse un long soupir de contentement. Si elle le pouvait, elle ronronnerait. Moi aussi.

CHAPITRE 17

Le plaisir de s'assumer. L'impression de faire un geste que le reste de la planète jugerait au mieux original, au pire épais. Je me rappelle la première fois que j'ai ressenti cette immense satisfaction qui fait taire tout le reste. J'étais dans les guides. J'avais douze ans. La cheftaine s'appelait madame Letendre. Ou comment un nom peut être trompeur. Madame Letendre était la femelle alpha qui dirigeait la meute avec un sourire permanent généralement totalement dénué d'émotion. Son attitude était empreinte d'impartialité et de rigueur. Quand le regard de madame Letendre laissait transparaître par inadvertance l'ombre d'un sentiment, elle se ressaisissait brusquement, clignant des yeux en rafale, tournant rapidement les talons à la jeune personne qui avait suscité l'inconvenance.

Je faisais partie d'une équipe dont la chef s'appelait Anne-Marie, jeune fille douce et obéissante qui menait les Écureuils avec des consignes que nous savions tout droit sorties de la tête de madame Letendre. À l'une de nos réunions hebdomadaires du vendredi, c'est avec l'œil troublé du bien-pensant qui se heurte aux conséquences de la dérive humaine que la cheftaine nous annonça qu'Anne-Marie allait s'absenter pour un temps indéterminé et que le conseil nous laisserait savoir sous peu qui allait avoir l'insigne honneur de la remplacer. Madame Letendre repoussa les assauts de notre curiosité avec sa brusquerie habituelle. Nous voulions savoir si Anne-Marie était malade et qui était pressentie pour arborer les nouveaux galons. Madame Letendre refusait de nous en dire plus : à cette époque, la maladie dont Anne-Marie souffrait sonnait comme une vague accusation de concupiscence. Comme le secret est une chose qu'on ne dit qu'à une personne à la fois, l'indiscrétion prit quelque temps avant de faire le tour de la troupe : notre sous-chef souffrait de la maladie du baiser. Qui l'aurait cru, une jeune fille si réservée. Désormais, madame Letendre ne prononcerait son nom qu'en prenant d'abord une légère inspiration, écartant les narines et bombant le torse qu'elle avait déjà particulièrement proéminent.

Quand madame Letendre me prit à l'écart pour m'annoncer la décision du conseil, la légère rougeur qui colorait ses joues trahissait l'importance qu'elle accordait à cette investiture. Le bras qu'elle avait passé autour de mes épaules n'avait rien du geste amical bien connu. Je crois plutôt qu'elle voulait m'imprégner du sérieux de l'affaire en faisant peser sur mes jeunes épaules le poids des attentes sociales.

Je suis revenue à la maison, silencieuse et troublée. Quand mes parents apprirent l'origine de mes préoccupations, la joie et l'orgueil manifestes avec lesquels ils accueillirent la nouvelle m'apaisèrent un peu. Le soir venu, j'eus beaucoup de mal à m'endormir, planifiant à l'avance les interventions que je ferais auprès de mes nouvelles ouailles. Le camp d'été de Sainte-Julienne approchait à grands pas, et j'anticipais mes obligations de fraîche date avec beaucoup de fierté et un brin d'inquiétude quand même.

Les jours qui ont suivi furent très étranges. Malgré mon âge, j'avais habituellement un teint clair, exempt de l'affreuse acné dont souffraient alors nombre de mes compagnes. En quelques jours, mon visage s'est couvert de bourgeons hideux que je tentais de faire disparaître à coups de *Clearasil* et d'anticernes. Durant cette même semaine, j'ai manqué trois jours de classe, car je souffrais d'une diarrhée si sévère que je m'étendais à même le sol de la salle de bain pour me reposer entre deux passages obligés. Ma mère était une adepte de la psychologie populaire avant l'heure. Je la vois encore, assise sur le bord de mon lit, un grand verre d'eau à la main.

— Il faut que tu boives, Jeanne. À la vitesse où tu te vides, tu vas être complètement déshydratée. Tiens, bois ça.

Et pendant que j'avalais le liquide à petites gorgées peu gourmandes, elle s'est mise à me parler de ma «nouvelle promotion» et de l'effet qu'elle semblait avoir eu sur moi. Elle m'invitait à la réflexion. Elle me rappela les responsabilités, les attentes des supérieures et des subordonnées, les réunions à préparer et, surtout, surtout, la nécessaire distance qui se créerait autour de moi.

Le général a droit, sinon à l'admiration, du moins à l'apparent respect de ses hommes; il a sa place au mess des officiers et utilise des ustensiles en argent. Mais il doit renoncer aux *shots* de tequila avec ses chums le vendredi soir au bar du *Jolly Jumper* entre deux poupounes accortes. C'est une question d'autorité. Et de crédibilité, j'imagine. Ça doit être difficile d'avoir confiance en celui-là même qu'on a ramassé la veille à quatre pattes dans sa bave.

Ce n'est évidemment pas en ces termes que ma mère me décrivait le tableau. La conclusion était la même : la chef d'équipe se doit d'observer un certain décorum et elle ne doit sous aucun prétexte avoir de favorites. Anne-Marie, la renégate, en était un exemple parfait : nommée à la tête des Écureuils, elle avait rapidement perdu en amitié ce qu'elle avait gagné en prestige. Il me semblait tout à coup que c'était chèrement payer un pouvoir bien relatif. Finis les secrets et bavardages complices avec Michelle Dufresne et Michelle Marineau, mes deux meilleures amies chez les Écureuils, avec lesquelles j'aimais tant rigoler quand madame Letendre avait le dos tourné.

Maman avait le tour de mettre le doigt sur le bobo. J'allais dire non, merci. Malgré tout le plaisir qu'il avait manifestement ressenti à l'annonce de ma nomination, mon père n'en a pas fait de cas lorsqu'il a connu ma décision. Je crois qu'il lui suffisait de savoir qu'on m'avait offert le poste pour en apprécier tout le mérite et que ma mère, digne représentante de sa génération habituée à la manipulation sur l'oreiller, avait dû lui dire de se calmer le pompon. Du côté du haut conseil, ce fut autre chose. La cheftaine a été soufflée. Refuser l'insigne honneur, c'était du jamais vu. Le regard malgré tout assez bienveillant qu'elle avait toujours porté sur moi s'éteignit à jamais. Sa déception était palpable. Par la suite, elle eut toujours une légère méfiance à mon endroit. J'ai d'ailleurs quitté la troupe dans l'année qui a suivi. Quelque chose s'était rompu, je crois.

Mais ce qui me reste à ce jour, c'est le souvenir de l'extrême soulagement que j'ai ressenti. D'abord, tandis que la main gauche de ma mère me caressait les cheveux et que m'apparaissaient soudain toutes les peurs et les considérations moins heureuses que je tentais d'ignorer et que mon corps me lançait en pleine face à coups de furoncle. Ensuite, lorsque j'ai communiqué mon refus à madame Letendre. Ses yeux chargés d'incompréhension n'ont jamais pu altérer le sentiment de délivrance et la grande satisfaction que j'ai éprouvée par la suite. Je ne le pensais pas dans ces mots à l'époque, mais je découvrais alors les bienfaits de l'intégrité. Celle qu'il est si difficile d'avoir envers soi-même, envers et contre tous.

Trente-cinq ans et des poussières plus tard, la situation est différente, mais le résultat demeure le même. Les mots – j'allais dire les maux – que j'ai couchés sur papier à l'intention de Laurent et de Maxime m'ont libérée de bien semblable manière. Je suis prête à affronter ce qui suivra, quoi que ce soit.

Le lendemain de mon ras-le-bol épistolaire, Laurent m'a invitée à souper. Seul, lui et moi.

Malgré tout le temps écoulé depuis sa défection, j'aurai à combattre durant ces quelques heures la malheureuse envie d'y voir là autre chose qu'une tentative de communication que seule la présence de Maxime rend nécessaire. Je suis de mauvaise foi. Le suicide de Maurice a tracé de profondes ornières. En nous tous. On a beau se dire que sa vie d'ermite avait pavé la voie à sa profonde détresse; que, bien plus qu'une affaire de choix, sa réclusion était en fait la résultante d'un mal-être corrosif; qu'il fallait bien qu'il soit atteint déjà d'un mal virulent pour mettre fin à ses jours pour une femme qu'il n'aura étreinte qu'une seule fois, le geste a laissé des traces. Je sais bien que la sollicitude dont Laurent m'entoure n'est pas étrangère à la réflexion que le drame a suscitée. Bref, je me reprends... J'aurai à combattre durant ces quelques heures la malheureuse envie d'y voir là autre chose qu'une tentative de communication que seules la présence de Maxime et la bienveillance de son père à mon égard rendent nécessaire.

C'est un Laurent plus fébrile qu'à son habitude que je retrouve au *Kimono* et qui se lève prestement à mon arrivée pour m'embrasser sur les deux joues. Il fait signe au serveur qui passe à l'instant de nous apporter deux *Sapporo*, après avoir vérifié mon intérêt en levant son verre déjà presque vide vers moi. Manifestement empressé d'en venir au but de l'exercice, il se rassoit et se penche vers moi.

— Tu sais, Jeanne, que tout ce que je cherche dans tout ça, c'est ton bien et celui de Maxime.

Je souris. Je l'ai entendu assez souvent me raconter l'art des négociations avec ses clients. Le premier qui parle perd. Je me ferme la trappe et je m'amuse quand même un peu à le voir aller. De toute façon, je ne saurais quoi dire, sinon tout ce que j'ai déjà écrit et qu'il a lu.

— Le duplex, le travail, le déménagement... Je pensais honnêtement que c'était ce que tu voulais, ce qu'on voulait tous les trois. J'essayais de t'aider à repartir dans une nouvelle vie. Il me semblait que changer de décor pour toi, c'était nécessaire. Et puis, Maxime était tellement contente. Je pensais vraiment que vous étiez toutes les deux contentes. Quand on est allés voir la maison, tu capotais. Tu la trouvais tellement belle. Jamais j'aurais pensé que tu n'en voulais pas. Et puis la job à *La Presse*. Je me disais que t'allais rencontrer du nouveau monde, triper un peu… T'avais l'air vraiment contente quand tu m'as annoncé qu'ils t'avaient offert la job… Je ne comprends pas. Je comprends rien, Jeanne. Va falloir que tu m'expliques un peu. Qu'est-ce qui s'est passé?

Je prends une longue gorgée. Le soleil qui se couche dans la vitrine du *Loblaws* de l'autre côté de la rue vient s'éclater sur les cheveux de Laurent. Maudit qu'il est beau! Il commence à avoir des cheveux gris. J'admire ses tempes qui grisonnent. Ses premiers cheveux blancs, il y a quatre ou cinq ans, m'avaient tout de suite rassurée. Une manière d'équation du genre amour + vieillissement = pérennité. *I'll drink to that.*

Je prends une longue gorgée de *Sapporo* et je souris à Laurent qui m'observe. Ses beaux yeux bruns brûlent d'incompréhension. Je pousse un long soupir. J'espère savoir quoi dire à cet homme qui, malgré son enfant de chienne de blonde et le fait qu'il m'a dompée pour elle, a toujours été très respectueux à mon endroit. Je l'apprécie plus aujourd'hui. Il fut un temps où je n'en avais rien à foutre, de son respect. J'aurais même préféré qu'il soit bête comme ses pieds, mais qu'il m'aime encore un peu. Tout mon orgueil contre ses baisers enflammés. Il me tapote gentiment la main droite: absolument impossible de s'y méprendre, le geste n'a rien d'un attouchement.

— Explique-moi, Jeanne…
— Je ne sais pas comment te dire ça, Laurent, je n'ai

pas vu venir… Comme bien des choses dans ma vie, tu vas me dire…

Maudite rancune. J'enchaîne bien vite pour éviter que le malaise ne s'installe. On n'est pas là pour ça.

— Ça m'a frappée comme un dix-roues. Dimanche soir. Au beau milieu de la nuit. Ça ne marche pas. Oui, je la trouve belle, la maison. Oui, c'est parfait pour Maxime. Oui, la job aurait pu me faire rencontrer du nouveau monde. Je le pensais aussi, tout ce temps-là, je le pensais. Puis je me suis rendu compte que c'était une erreur. Une grosse erreur. Je ferais ça pour Maxime et pour toi aussi parce que ça faciliterait les choses. Je ferais ça pour la nouvelle femme qu'il faudrait bien que je devienne. Je ferais ça parce que c'est sans doute la meilleure chose à faire, la plus logique, en tout cas. Mais il n'y a rien là-dedans pour moi, vraiment *pour moi*. Maxime va avoir dix-sept ans, je ne peux pas la laisser s'organiser toute seule, c'est bien certain. Mais il faut que je trouve autre chose parce que ce scénario-là, il n'est pas pour moi. Tu n'es pas d'accord qu'il faut que je pense à moi un peu? Je le sais, Laurent, ce qui va arriver si je déménage avec elle à Montréal. Tu te rappelles ce que tu faisais, toi, à cet âge-là? Moi, je m'en rappelle! Tout ce qui comptait, c'étaient mes amis du cégep, tout ce que je voulais, c'était sortir avec eux, avoir du fun. La dernière affaire que j'avais le goût de faire, c'était de rentrer chez nous.

— Oui, mais la relation que vous avez toutes les deux est bien différente de celle que tu avais avec tes parents…

— C'est vrai. Mais ça ne l'empêchera pas d'avoir le goût de sortir avec ses chums : c'est le contraire qui serait bizarre! Toutes les portes s'ouvrent pour elle, et si elle tient le moindrement de sa mère, elle va en profiter, crois-moi! J'ai pas le goût de m'en aller l'attendre. J'ai pas le goût de me retrouver entre quatre murs et d'espérer qu'elle rentrera passer la soirée avec moi pour une fois. Tu sais ce que ça fait, ça? Ça rend amer. J'en veux pas, de ce scénario-là. Il faut que je pense à ça, Laurent, il faut que j'envisage autre chose. Mais quoi exactement? Je ne le sais pas.

— Parfait, Jeanne, c'est parfait. On part de là. On efface tout et on recommence. Qu'est-ce que tu as le goût de faire? Qu'est-ce que tu ferais si tout était possible? Parce que tout est possible, non?

Hum… pas sûre… Des fois, j'ai des petits bouts de film qui passent dans ma tête. Quand Laurent a dit ça, j'ai vu la grosse Madeleine disparaître dans un nuage bleu et rose: pouf! Je l'appelle la grosse Madeleine, parce que, plus le temps passe, plus ça fait longtemps que je ne l'ai vue, plus elle est belle et désirable dans mon souvenir. C'est ma façon d'exorciser sa présence et de garder un certain équilibre.

Le jeune Asiatique qui dépose le plat de sushis entre nous et qui verse le saké dans nos verres est d'une telle discrétion que c'est à peine si je le remarque. C'est à cause de la politesse asiatique que nous, Occidentaux, avons l'air d'éléphants dans une boutique de porcelaine. Lorsqu'il s'éloigne, je prends le temps de saisir un morceau de *Dragon Eye* entre mes baguettes, de le tremper dans la sauce relevée de wasabi et de le savourer longuement. Je roule les yeux de ravissement. Laurent m'observe toujours. Il attend une réponse.

— Honnêtement, Laurent, je ne sais pas trop. Ce que je sais, c'est qu'il faut que je passe à autre chose. Si ce n'était pas de Maxime, je partirais. J'irais peut-être travailler à l'étranger ou simplement voyager, je ne sais pas. Je partirais un an, peut-être plus. Mais je sais que je ne peux pas lui faire ça. Ça lui briserait les ailes. Je sais que c'est précisément de me savoir là qui la rend autonome.

Laurent est d'accord. Il hoche la tête.

— Un an, ce serait sans doute trop long : elle s'ennuierait de toi à mourir. Mais peut-être quelques semaines ou quelques mois ? Si tu pouvais partir, là, qu'est-ce que tu ferais ?

— Je ne sais pas. J'ai vu l'autre jour une annonce de *Médecins sans frontières* dans *La Presse* qui cherchait du personnel pour aller je ne me rappelle plus trop où, une petite ville près de la frontière iraquienne, je crois. C'était écrit : six mois à un an. Premièrement, c'est trop long et deuxièmement, j'ai envie de changer d'air, pas de me déguiser en carmélite. De toute façon, même six mois, ce n'est pas possible. Pas tout de suite, en tout cas. Ça pourrait aussi être un voyage d'aide humanitaire. Il y a plein d'organismes qui recherchent des bénévoles pour des séjours de deux ou trois mois… Ça, j'haïrais pas ça.

— Je te reconnais bien, là, ma Jeanne…

Je vide encore une fois ma petite coupe de saké, question de la faire passer, celle-là. Il n'a aucune idée à quel point chacune de ses paroles fait son chemin de la cervelle au muscle cardiaque. J'ai l'impression que le recul que j'avais enfin pris au cours des derniers mois me fait subitement défaut. Ma Jeanne… Même si l'emploi du possessif est purement fortuit, il me rappelle tant de bons moments pas si lointains ! Je me sens comme une alcoolique à qui l'on fait sentir un bon scotch. Agace, va!

Laurent, qui me connaît trop bien pour ne pas percevoir le moindre de mes troubles, tente de faire diversion. Il fait signe au garçon de nous apporter d'autre saké et m'offre le dernier *Uni*. Détail qui a l'heur de me raccommoder le petit cœur d'un coup sec! J'ai toujours haï le *Uni* et ça me fait un peu chier qu'il l'ait oublié. Vient accentuer ma soudaine contrariété le fait de me rappeler que c'est Madeleine, la première, qui a tenté de nous initier à «ce mets des plus raffinés dont le goût doit être apprivoisé». C'est ça... Peut-être dans une autre vie.

Je me lève un peu brusquement, prétextant aller aux toilettes. Je compte bien revenir de là sereine et détachée, ne serait-ce que pour pouvoir apprécier les dernières bouchées du *Spicy Californian Roll* que j'ai gardées pour la fin. «*Delaying gratification*», disait M. Spock. Autre objet de raillerie de la part de Madeleine qui disait que c'était de la foutaise, tout ça, et que c'était «une pensée propre aux petites gens et aux colonisés de notre espèce dont l'étroitesse d'esprit ne pouvait permettre d'envisager une suite de plaisirs à l'infini». Des fois, j'aimerais ça apprendre qu'elle s'est «pété la yeule» d'aplomb juste pour lui rabattre le caquet.

La bonne femme frustrée que j'aperçois dans le miroir de la salle des dames me rappelle que ce moment intime devait me ramener à des considérations plus zen. Pas l'inverse. Je prends une grande inspiration et je me fais une tentative de sourire. Je suis ici, là, maintenant, avec Laurent. Le pire est fait: il sait maintenant que je viens de balayer tous les efforts qu'il a déployés depuis trois mois. Il n'a pas eu l'air de s'en formaliser. Surpris, oui, déçu, sans doute un peu, mais pas fâché. Je refais la ligne de khôl noir sous mes yeux. J'ajoute un peu de mascara. L'éclairage de la pièce est flatteur. J'ai l'air moins ridée que d'habitude, il me semble. Je me trouve «pas pire» ce soir, c'est toujours ça. J'espère qu'en rentrant chez lui après ce souper, Laurent trouvera sa grosse en bigoudis.

J'ai à peine le temps de m'asseoir que Laurent me saisit de nouveau la main, tout excité de sa nouvelle idée. Est-ce qu'il va me la lâcher, le con? Chaque fois qu'il me touche, je n'entends plus que la patate qui joue de la grosse caisse. Je retire ma main, ce qu'il ne semble même pas remarquer: on repassera pour la scène mélodramatique.

— J'ai trouvé, Jeanne! J'ai une proposition à te faire. Je vais l'acheter pareil, le duplex. De toute façon, ce serait compliqué de revenir en arrière, j'ai signé l'offre d'achat. Je pense malgré tout que c'est une bonne affaire. Je l'ai déjà dit: c'est un investissement. Bref, j'achète la maison. Tu restes là avec Maxime le temps de décider ce que tu as le goût de faire. De toute manière, on a vendu l'autre, ça te prend une place où rester.

— Mais je ne veux plus aller m'installer à Montréal…

— Juste le temps que tu décides de ce que tu veux faire, Jeanne. Écoute. Tu gardes ta part de la maison à Saint-Eugène, ça te donne quand même un coussin assez confortable pour te laisser respirer un bout de temps et même de voyager et de t'installer ensuite si c'est ça qui te tente. Moi, ça m'arrange que tu sois au duplex pour quelques mois. L'été arrive bientôt, Maxime va être en congé. Elle va être disponible pour t'aider à arranger la maison: elle adore ça, ces affaires-là! On doit tout peinturer. Si ça vous tente, vous pouvez le faire ensemble. Maxime ne connaît personne à Montréal : c'est pas tout de suite qu'elle va partir sur la rumba. D'ici le début des classes, vous allez arranger la maison, décorer, acheter ce qu'il faut. Tu vas avoir quelques mois à Montréal avec ta fille, à sortir, découvrir le coin… Exactement ce qui vous avait attirées au départ. Juste le meilleur… Tu gardes juste le meilleur! Pendant ce temps-là, toi, ça te permet de penser à ce que tu as le goût de faire.

— Tout ça, c'est bien beau, Laurent, mais il y a toi aussi là-dedans. Je ne suis pas capable encore – j'appuie sur l'adverbe – d'être ton «amie». J'espère que ça va venir un jour, pour Maxime surtout, j'y travaille, je te le jure, j'y travaille fort, mais ça prend du temps.

— Ça va faire trois ans, Jeanne…

— Ça fait deux ans et trois mois, Laurent. J'essaie pas de me justifier, je te dis les choses comme elles sont. Je ne suis pas rendue là. Et je ne suis pas certaine que de te voir graviter plus fréquemment autour de ma bulle aidera ma cause.

— Mais t'as connu quelqu'un depuis qu'on s'est laissés, Jeanne… Maxime m'a dit qu'il y avait eu un gars, là…, un des menuisiers…

— Patrick, oui, un petit jeune… Un trip qui a duré deux mois à peu près. Tu ne t'imagines quand même pas que ça m'a sevrée, Laurent? J'ai été dix-huit ans avec toi, bâtard, donne-moi un break!

— Je comprends, Jeanne, je comprends… Excuse-moi. De toute façon, c'est pas de mes affaires. Mais je comprends que ça peut te faire peur de rester dans une maison qui m'appartient. Mais ce serait temporaire. Le temps que tu décides ce que tu veux faire. En plus, Madeleine s'en va passer tout l'été à leur chalet au Lac-Saint-Jean. Je vais être parti là-bas plus souvent qu'autrement. Je te promets de respecter ton intimité, Jeanne…

157

Plus il est fin, plus il m'énerve. J'haïs ça être la pas fine! J'aimerais tellement ça être cool, ne pas m'en faire parce que chaque soir, quand moi je prends un deuxième oreiller pour remplir le trou entre mes bras, je pense à lui qui se colle la bedaine sur les fesses molles de sa blonde. Pas capable! J'exagère un peu quand je dis chaque soir. Au début, c'était vrai. Plus maintenant. L'œuvre du temps, disait ma mère. Il ne fait pas que ramollir les chairs, il remplume les petits ego rabougris aussi, Dieu merci.

Le serveur dépose doucement les bananes frites et le thé au jasmin. Laurent se bouffe l'intérieur de la joue tout en tentant de me verser un peu de saké alors que la buvette est vide depuis déjà un bon moment. Il réfléchit encore. C'est un redoutable vendeur, je sais qu'il m'achèvera sous peu. Au regard qu'il pose soudain sur moi, je sais qu'il vient de trouver l'ultime argument qui viendra à bout de mes dernières réticences.

— Le bas du duplex a trois chambres. L'idée de départ, c'était une pour toi, une pour Maxime et un bureau. Maxime et Emmanuelle rêvaient de se prendre un appart à Montréal, mais elles savaient bien que c'était impossible, ne serait-ce que financièrement.

Tiens, v'là autre chose! Maxime qui voulait emménager avec sa chum. Première nouvelle!

Devant mon air qui vire au vinaigre, Laurent s'empresse de préciser sa pensée.

— C'était rien de sérieux, des adolescentes qui rêvent tout haut, c'est tout. Tu sais bien que c'est avec toi que Maxime voulait déménager. On les laisse parler parce qu'on sait que c'est l'fun de faire des châteaux de cartes. Mais si tu ne restes pas d'une manière permanente au duplex, je pourrais offrir à son amie la deuxième chambre qu'elle peut utiliser durant la semaine, pendant l'école. Si ses parents sont d'accord, bien entendu. Et la troisième, quand tu es là, elle est à toi. Quand tu n'y es pas, moi je peux m'en servir : je veux dire, si tu pars en voyage…, je peux aller dormir au duplex trois ou quatre jours par semaine avec les filles. Quand ça leur tente, elles peuvent aussi venir dormir à Longueuil.

Je cherche la faille et, comme bien souvent avec Laurent, je me sens un peu dépassée. Ses qualités de planificateur et d'organisateur ont longtemps nourri mon indolence. Je ne sais pas si c'est le saké ou la *Sapporo* ou les deux… J'ai bien envie d'y croire. J'y penserai, en tout cas.

Je roule vers la maison la tête pleine. C'est une belle soirée, particulièrement douce pour un soir de mars. Je ralentis considérablement quand je quitte l'autoroute pour emprunter la petite route qui mène à Saint-Eugène à travers les champs déserts qui seront dans quelques mois envahis par le maïs. Je crains les petites bêtes qui, le printemps venu, sortent en trombe de nulle part et traversent les routes comme des écervelées.

Je mets la vitesse de croisière à soixante-dix. On ne se racontera pas d'histoires. C'est clair que l'idée de voir Laurent sauter des dodos à Longueuil le plus souvent possible a pesé plus lourd dans la balance que la perspective de Maxime partageant un logement en ville avec la chaise en rotin. Il y a quelques instants, quand nous nous sommes quittés, Laurent m'a embrassée avec franche camaraderie sur les deux joues, convaincu – à raison ! – d'avoir pu d'une certaine manière endiguer le flot de mes rebelles aspirations. Maxime ira au Cégep du Vieux-Montréal comme elle le désire tant et elle continuera à bénéficier d'une présence parentale continue. Je peux parfaitement imaginer qu'une fois ses cours commencés, la pente du côté de l'autonomie ira en s'accentuant… La présence de sa chum va certainement activer le processus. Une manière d'enzyme. J'ai connu la mienne au même âge environ : elle s'appelait Sylvie. Comme ledit catalyseur ne doit entrer en scène qu'en septembre, ça me donne tout l'été pour triper avec ma fille dans ce même décor qui aura servi de trame aux plans initiaux qui m'ont de prime abord émoustillée, puis effrayée.

Laurent a raison, je peux n'en garder que le meilleur. Plus j'y pense, plus l'idée de partir pour quelques mois me sourit. Je sais qu'un peu de recul, un genre de pause me permettrait de me retrouver et d'y voir plus clair. La tornade qui est passée dans ma vie au cours des deux dernières années a tout raflé : mon amour, ma maison, ma vie. Je suis bien décidée à recommencer à neuf. La conversation de ce soir en a pavé la voie. *Follow the yellow brick road!* L'histoire de Dorothée connut une fin heureuse. J'y vois là un signe. Et l'espèce de petit gargouillement d'excitation que je ressens dans mon bas-ventre à l'idée d'un futur voyage augure très bien.

Bien sûr, mes aspirations à recommencer tout à neuf connaissent quelques ratés. J'avoue que la perspective de savoir Laurent couché seul trois ou quatre jours par semaine dans la petite chambre du fond revient souvent titiller mon imagination. Mes fantasmes les plus prévisibles sont meublés de retours de voyage incognito et de rencontres impromptues dans ladite petite chambre. Je sais, c'est pathétique. J'y travaille.

ÉPILOGUE

Comme prévu, je suis partie et je suis revenue. Ça m'a pris environ un an à me décider, mais je l'ai fait. Une année durant laquelle le rat des champs s'est bourré la face. Une année durant laquelle l'horreur appréhendée n'a pas eu lieu. Maxime s'est fait des amis au cégep, bien sûr, mais elle ne souffrira jamais de la boulimie à faire la noce dont j'ai souffert à son âge. Elle peut très bien passer un samedi soir les fesses collées aux miennes à regarder les deux films qu'on a loués l'après-midi même sans y voir là les signes d'une carence en matière d'adaptation sociale. Mieux encore, elle a besoin de ces intermèdes. Je ne m'en plaindrai pas; sur ce plan, on a le même âge.

Six semaines sur l'île de Sumatra à construire une école dans un petit village à quelques kilomètres de Banda Aceh, région dévastée par le célèbre tsunami qui a enrichi notre vocabulaire. Six semaines à jouer au maçon, à mêler les petits tas de roche, de sable et d'eau pour empiler, d'une manière que j'espérais assez sécuritaire, les blocs de béton qui allaient abriter les jeunes élèves privés de classe depuis le passage du raz-de-marée. Dans l'avion qui me conduisait là-bas, j'y voyais une analogie aux bouleversements qu'avait connus ma

161

propre vie. Les conditions dans cette région de l'île ont vite fait de me ramener les deux pieds sur terre. Condensé du cours de Relativité 101, aucun préalable nécessaire. Six semaines, c'est court, mais ça fait la job dans la tête.

J'en ramène des idées de ti-cul : le goût de changer le monde et deux nouveaux amis. La première : Cécile Simard. Travailleuse sociale de trente-cinq ans qui vit à Québec, intervenante auprès des jeunes de la rue qui termine bientôt les trois mois sabbatiques qu'elle avait pris à son travail pour changer le mal de place. Troquer une misère pour une autre. Je l'ai rebaptisée sainte Cécile. Quand elle revient, dans quelques jours, elle mettra sur pied un projet pour amener des jeunes d'ici, de la rue et d'ailleurs, à participer à de l'aide humanitaire internationale, question de mettre leurs malheurs en perspective. Elle m'épate et j'ai bien le goût de traîner un peu dans son sillage. La veille de mon départ, on a passé une soirée ponctuée de *shots* d'arac avec Réjean Deland, mon autre nouvel ami, à faire une manière de brainstorming pour étoffer l'idée de base. Les libations aidant, l'exercice a dérapé un peu en fin de parcours, mais sainte Cécile avait prévu le coup et noté les meilleures idées émises en début de soirée. Grosso modo, le plan est de donner des conférences afin de sensibiliser les étudiants du secondaire et du cégep. Le but est de concevoir et de réaliser des activités pour financer leurs séjours à l'étranger avec des jeunes de la rue. Quelque chose comme ça. Sainte Cécile, qui connaît bien les rouages de la fonction publique et les subtilités des programmes d'aide financière gouvernementaux, s'occupera de distraire le plus d'argent possible à cette fin. Réjean, qui retourne chez lui à Vancouver d'ici deux semaines, m'enverra par courriel les photos les plus percutantes qu'il aura prises et qui serviront de trame de fond à la présentation PowerPoint à laquelle j'ai promis de travailler.

Au travers de tout ça, il faut que je me trouve une job, obligation qui, par bonheur, me pèse peu. Peut-être mes nouvelles préoccupations humanitaires m'éloignent-elles des considérations plus prosaïques. Peut-être m'évitent-elles la contemplation d'un quotidien un peu vide. Je me promets d'y réfléchir, plus tard.

Autant le dire tout de suite, j'ai couché avec Laurent. La semaine où je suis revenue de voyage. Ma vie sexuelle a connu un regain d'énergie au cours des deux derniers mois. Ça a commencé à Sumatra :

« Aventuuuure…, dans les îles où je t'attendais… »

Je revois le magnifique voilier dans les îles, les traits burinés du capitaine et la voix surannée qui chante le thème de *South Pacific,* ce vieux film qui a tissé la trame romantique de toute une génération de femmes.

Quand même… Admettez que l'Indonésie sent l'exotisme.

Sauf que le décor immédiat n'avait rien d'un nid d'amour paradisiaque et que Réjean n'a rien d'un capitaine Troy. Ce n'est pas le genre de gars sur lequel une fille se retourne. Pas beaucoup de cheveux sur le coco, il fait ses cinquante et un ans. Mais un gars en forme! Il skie tout l'hiver dans les Rocheuses et, chaque été depuis dix ans, il court le marathon de la Dystrophie musculaire de Vancouver. La peau mûre sur des muscles encore d'attaque. Il faut s'en approcher –

ou le voir travailler pendant des semaines à charroyer des chaudières de roche et de sable – pour s'en rendre compte. Allez savoir comment, je me suis mise à le trouver beau. Ce doit être le phénomène de proximité. J'ai travaillé trois semaines sur les mêmes murs de classe que lui. On déjeunait, on dînait, ou soupait ensemble. On brassait le même ciment. La montée du désir a pimenté nos jours de labeur de bien agréable manière. Entre nous, c'était devenu électrique. Je n'avais pas besoin de me retourner pour savoir quand il était derrière moi, et le soir venu je me retrouvais seule dans mon lit, affamée de caresses que je n'allais pas jusqu'à solliciter. De toute façon, les chambres à six chambreurs laissent peu de place à l'intimité.

C'est à l'occasion d'une visite touristique organisée pour les bénévoles que l'occasion s'est présentée. Réjean devait partager une chambre avec un autre bénévole qui s'est désisté de l'excursion à la dernière minute pour cause de problèmes intestinaux. C'était là ou jamais. Réjean a démontré qu'il savait être opportuniste. Et qu'il avait d'autres talents que le ski et le jogging. Par le passé, mes premières relations avec un homme n'ont jamais été très concluantes. J'attribuais ma décevante performance à l'apparente complexité de l'appareil génital féminin et à la nécessité pour les partenaires de se connaître un peu mieux. Préjugés, semble-t-il. Les dernières semaines de maçonnerie ont été ponctuées de baisers gourmands dans le petit bois derrière le chantier où la voracité des moustiques finissait malgré tout par avoir raison de notre passion.

Ce court épisode de délire sexuel a réveillé ma libido. Ça devait être écrit sur mon front quand je suis arrivée à Dorval : à consommer immédiatement. Laurent était venu me chercher seul, car Maxime était partie une semaine à Virginia Beach pour un voyage de fin de trimestre avec un groupe du cégep. Les astres avaient comploté. Tout en conduisant, Laurent me racontait les dernières nouvelles, et je n'étais pas sans remarquer ses regards appuyés qui me gênaient. Pour la première fois depuis qu'il m'avait quittée pour elle, je lui demandai des nouvelles de Madeleine. Je me rendis compte avec plaisir que je pouvais maintenant prononcer le nom de la virago sans ressentir l'affreuse torsion habituelle de mes entrailles. La réponse de Laurent fut vague, et je compris d'entrée de jeu que leur relation avait connu des jours meilleurs. Hon… C'est-tu plate…

Ce soir-là et tous les autres qui suivirent jusqu'au retour de Maxime, nous avons partagé la petite chambre du fond qui avait si souvent servi de décor à mes fantasmes. Les retrouvailles furent d'abord passionnées, puis émouvantes. Nous avons pleuré tous les deux. Il fallait bien se rendre à l'évidence : la relation Laurent-Jeanne était bel et bien chose du passé. J'ai compris au fil des conversations que c'est Madeleine qui prenait une distance et qu'il tentait de composer avec la perspective d'une prochaine rupture. D'où sans doute notre aventure qui devait, j'imagine, l'aider à décrocher. Déjà, quand j'ai saisi le topo, ma température corporelle s'est rapprochée de la normale. J'avais déjà commencé à réaliser que je ne ressentais plus pour lui le douloureux attachement qui avait miné notre relation post-maritale. L'idée de servir de tremplin propulseur a fini de me convaincre. Je cherchais une porte de sortie : c'est avec un grand soulagement que j'ai vu Maxime revenir de voyage. Son babillage incessant – elle en avait long à raconter – mit fin au léger malaise qui s'était installé entre Laurent et moi. L'habit parental nous va beaucoup mieux.

L'affaire Réjean a sans doute aidé à la guérison de mon cœur. Je n'attends pourtant pas grand-chose de ce côté-là. Il travaille depuis quinze ans en Colombie-Britannique et prendra sa retraite dans quatre ans. D'ici là, on risque de se voir une ou deux fois par année, au gré de ses visites à Montréal, durant les fêtes et les vacances estivales.

Étrangement, cela me convient parfaitement. À mon avis, les amours qui naissent hors contexte s'insèrent plutôt mal dans le quotidien. Et nous n'avons, ni l'un ni l'autre, eu le réflexe de mettre notre nouveau couple à l'agenda. Réjean, c'est mon ami. *Fuck friend* à ses heures, mais mon ami quand même.

J'ai toujours été d'une nature assez sentimentale. J'ai aimé intensément durant près de dix-huit ans un homme qui me le rendait bien. Nous avons connu ensemble des moments de pur enchantement. Le regard qui se voile lorsque deux êtres se dévorent des yeux, effrayés par la profondeur de leur sentiment et la précarité de l'émotion, il faut l'avoir connu pour comprendre. Le grand frisson du *Cynique* de *La Ronde* morcelé en petits moments d'extase, entrecoupés d'instants plus plates.

J'ai eu l'immense privilège de connaître la passion réciproque qui perdure et peut-être la connaîtrai-je à nouveau un jour. Pour l'instant, je suis beaucoup plus excitée par le projet de sainte Cécile et la perspective de m'investir socialement, pour une fois.

Maxime, qui aura bientôt dix-huit ans, m'encourage fortement. Elle tripe de voir sa mère sortir des sentiers battus, et sa mère adore croiser le nouveau regard que sa fille pose sur elle. Je retrouve le respect et l'admiration après la longue traversée du désert de l'adolescence. Elle meurt d'envie de rencontrer sainte Cécile et de participer au projet. Je m'aperçois que la passion a plus d'un visage. Je n'ai qu'à regarder sainte Cécile pour m'en convaincre. Je ne sais pas ce qui s'en vient, mais ça risque d'être tout sauf ennuyant. J'aimerais bien un jour revivre le grand Amour, mais il faudra qu'il attende un peu.

DISTRIBUTEURS EXCLUSIFS

Distributeur pour le Canada et les États-Unis
LES MESSAGERIES ADP
MONTRÉAL (Canada)
Téléphone : (450) 640-1234 ou 1 800 771-3022
Télécopieur : (450) 640-1251 ou 1 800 603-0433
www.messageries-adp.com

Distributeur pour la France et autres pays européens
DISTRIBUTION DU NOUVEAU MONDE (DNM)
PARIS (France)
Téléphone : 01 43 54 49 02
Télécopieur : 01 43 54 39 15
Courriel : libraires@librairieduquebec.fr

Distributeur pour la Suisse
(À l'usage exclusif des librairies)
SERVIDIS / TRANSAT
GENÈVE (Suisse)
Téléphone : 022/342 77 40
Télécopieur : 022/343 46 46
Courriel : transat-diff@slatkine.com

Dépôts légaux
Bibliothèque nationale du Canada
Bibliothèque et Archives nationales du Québec, 2010
Imprimé au Canada

Imprimé sur Rolland Enviro100, contenant
100% de fibres recyclées postconsommation,
certifié Éco-Logo, Procédé sans chlore, FSC
Recyclé et fabriqué à partir d'énergie biogaz.